MHAIREADAR

SAN

ARDCHATHAIR

MHAIREADAR
SAN
ARDCHATHAIR

DONN S. PIATT M.A.

F. Á. S.
BAILE ÁTHA CLIATH

An Chéad Chló 1957

RÉAMHNÓTA

Sa leabhar seo tugaim iarracht ar Bhaile Átha Cliath folaigh—an taobh Ghaelach agus Caitliceach ar fad—a nochtadh. Chuige sin, b'éigin rud a fhéachas cosúil le leathcheal a dhéanamh ar Bhaile Átha Cliath Mholyneux agus Swift. Tá súil agam go dtuigfear nach le ceal measa ar na daoine sin é, ach le gean ar an mbuíon daoine a ríomhaim a n-eachtra, buíon ar gá taighde i measc láimhscríbhinní Gaeilge agus in annála Éireann folaigh le haithint gur mhair a leithéidí riamh, san Ardchathair idir ré Eilíse agus ré shaoirse na gCaitliceach.

Bhí Bardas Bhaile Átha Cliath ar na daingne deireannacha a thit agus, ós rud é nach bhfuil sé luaite aon áit eile agam, ní miste toghchán Dhomhnaill Uí Chonaill mar Ard-Mhéara i 1840 a lua mar an dáta a raibh deireadh dáiríribh le hísilchéim na gCaitliceach.

Tá mo bhuíochas ag gabháil do na daoine agus na dreamanna seo a leanas, .i. Comhairle Acadamh na hÉireann, as cead a thabhairt dom na láimhscríbhinní atá luaite sa leabhar d'úsáid agus *sleachta a bhaint astu; d'fhoireann an Acadaimh agus d'fhoireann na Leabharlainne Náisiúnta as an gcúnamh agus an chúirtéis a roinneadar liom; agus do Chiarán Ó Nualláin as cead a thabhairt dom aiste faoi Owenson a bhí agam ar* Inniu *d'úsáid mar bhuncloch caibidil; agus d'Eagarthóir* Éigse *as cead abhar a bhí i ndá aiste le Tomás Ó Cléirigh d'úsáid.*

DONN S. PIATT

CLÁR

1

CÚLRA

TAR LIOM, a chara, ar chaol-shlite na staire go dtuga mé siar cúpla céad bliain thú go dtí Baile Átha Cliath na linne sin, agus go gcuire mé in aithne duit daoine de do chine a mhair sa chathair idir 1583, blian bháis Dhiarmuid Uí Iarlatha, agus 1840—agus corrdhuine a mhair roimhe sin.

Baile Átha Cliath beag í, i dtús na tréimhse. Níl aon Chearnóg Mhuirfean ann, ná dada ach páirceanna idir Lána Thobar Phádraig agus an fharraige atá ag lúbadh isteach in aice le Tor an Bhacaigh. Tá Faiche Stiabhna ann ach níl ach páirceanna áit a bhfuil Sráid Fhearchair. Níl na canálacha ann ná, dar ndóigh, na bóithre iarainn; is é an capall an córas iompair. Tá muilte gaoithe ar Chnoc Críonáin agus ceann in aice Shreath an Iarthair, ach tá na céanna tógtha nó á dtógáil. Ní hóltar tae, ach tá réimse maith deochanna ann ó bhainne go beoir agus ó bheoir go deoch láidir ar a dtugtar bolcán.

Clann Bhullaigh, na Liamaigh, ar uachtar, ach neart Gael ar íochtar: an eaglais Chaitliceach leathchoiscthe ag teacht i dtreis go ciúin, misneach ag méadú sna pobail atá ag freastal ar na séipéil i

Sráid na gCócairí, sa mBóithrín Salach, agus áiteacha eile. Thug Acht 1703—*Act for Registering the Popish Clergy*—an-mhisneach do phobal Caitliceach na cathrach; b'aitheantas oifigiúil don chreideamh Caitliceach é, má b'aitheantas drochmhúinte féin é. Fán bhliain 1731 nuair a rinneadh fiosrú faoin Acht *to prevent the Further Growth of Popery in this Kingdom* bhí dá Theach Pobail déag (*Mass houses*) sa gcathair agus 106 sagairt idir sagairt tuatha agus bráithre (*friars*) ag freastal orthu, líon nach raibh suarach i gcathair bheag nach ndeachaigh ó dheas mórán thar Shráid Chufa agus Sráid Chaoimhín, agus nár shroich an Cuarbhóthar Thuaidh ag pointe ar bith go ceann cúpla glún eile.

Sa gcathair sin bhí amharclanna agus tithe ósta agus nuachtáin—cinn an-bheaga: *Dublin Intelligence, Pue's Occurrences, The Flying Post.* Leabharlann Choláiste na Tríonóide agus Leabharlann Marsh. Cúirteanna dlí agus príosúin. Scoileanna Protastúnacha agus scoileanna Caitliceacha cosúil leis an scoil ina mbíodh Tadhg Ó Neachtain, mac Sheáin, .i. an file.

Agus ba dhóbair é dhearmad, bhí ainm Ríocht na hÉireann fós ann, faoi aon ríochas le Sasana, ach parlaimint dá cuid féin ag an ríocht spleách seo, an pharlaimint a d'aor Swift faoin ainm *Goose Pie.* Agus bhí Teach Tiarnaí ann a shuigh tráth i seomra ina raibh mua-bhrat álainn le Van Beaver, an fíodóir, ag léiriú Chath na Bóinne. Cuid de na hEaspaig Phrotastúnacha a bhí i dTeach na dTiarnaí seo, bhí sé d'fhiúntas agus de mhisneach iontu labhairt in aghaidh na bPéindlíthe.

Agus sa gcathair seo bhí Gaelgeoirí as a lán áiteacha agus ní rabhdar gan sagairt agus bráithre le freastal ar a riachtanais anama, ná gan filı agus scríobhaithe le litríocht a chumadh a mhaireas fós sna láimhscríbhinní.

2.

NA SEANTSRÁIDEANNA

FOCAL faoi na seantsráideanna agus na sean-chéanna. Ar léarscáil Speed, 1610, tá Sráid an Droichid, Cé an Adhmaid (nó 'na Coille'), Cé na gCeannaithe, Sráid an Dama (áit a raibh Dama nó Damba ar an bPuitéal agus Teampall Naomh Muire an Dama—*Ste. Marie del Dam* sa bhFraincis Normannach), Lána Sheoirse (Sráid Mhór Seoirse anois), Sráid Stiabhna (ainmnithe ó Theampall Stiabhna), Sráid an Chaisleáin, Sráid Werburgh, Sráid Niocláis, an tSráid Mhór (High Street), an Lána Cúil, Sráid Seamlas an Éisc, Sráid an Fhíona, Sráid Thomáis, Sráid Shéamais, Sráid Phádraig, Sráid Bhríde, Sráid Chaoimhín, agus roinnt bheag eile, maraon le Cill Michen, Mainistir Mhuire (ónar gairmeadh Sráid na Mainistreach),

Teampall Chríost, Teampall Phádraig, Teampall
Mhic Tháil (St. Michael le Pole) a leag gála
1775, Teampall Bhríde (a scriosadh 1907),
Teampall Owen (*sic*), i.e. Audoen, (Ouen i
bhFraincis); Teampall Pheadair, Teampall
Chaitríona, Teampall Mhichíl, Teampall Wer-
burgh, Teampall Stiabhna (a thug ainm do
Fhaiche Stiabhna chomh maith leis an tsráid).

Feicfear go bhfuil Pádraig agus Bríd, Caoimhín
agus Mac Táil ainmnithe, naoimh ba gheal leis an
sean-náisiún. Tá Colmcille ar iarraidh, ó theacht
na Normannach. Tá tagairt do Theampall Colm-
cille roimh bhunú Theampall Ouen (Audoen) ag
na Normannaigh. Ansin tagann Ouen ina áit.
Seans mar sin, adeir an tAthair Aubrey Gwynn,
gur leagadh Teampall Cholmcille agus gur tógadh
Teampall Ouen san ionad céanna.

Déanaim tagairt do léarscáil 1610 mar gurb é
an léarscáil is sine é den chathair. Is féidir, ámh,
cuid de na sráideanna a rianú siar i bhfad agus i
bhfad roimhe sin, níos mó ná ceithre céad bliain,
i dtagairtí i scríbhinní sa Laidin agus i bhFraincis
Normannach, agus is féidir tagairtí a fháil dóibh
i ngach aois ó shoin i leith. Bíodh a lán dá
bhuíochas sin ar Ghilbert, údar *A History of the
City of Dublin, Facsimiles of Irish National
Manuscripts, Calendar of Ancient Records of
Dublin,* agus *Historic and Municipal Documents
of Ireland.* Is leor na leabhair seo a scrúdú chun
a thuiscint go bhfuil mór-chuid eolais ar fáil i
dtaobh bunús ainmneacha na seantsráideanna

agus nach ceart, cuirim i gcás, aon bhuillí fá
thuairim i dtaobh a mbrí a dhéanamh d'éagmais
an eolais atá le fáil. Ní hionann sin agus a rá go
mbíonn an t-eolas sin i gcónaí sásúil.

Tríd is tríd, tá de locht ar na leaganacha
Gaeilge atá againn gur aistriú cruinn, nó uaireanta
neamhchruinn, iad ar leagan Béarla nach bhfuil
róchruinn é féin uaireanta. Mar shampla, d'fhéad-
fadh gur ainm duine nó ainm céirde 'Cook' i
'Cook Street.' Tarlaíonn go bhfuil an tsráid sin
ar cheann de na cinn is sine sa chathair agus go
bhfuil tagairtí di sa Laidin faoin ainm *Vicus
Cocorum*, Sráid na gCócairí. Mar sin, tá a fhios
againn go bhfuil údar maith leis an leagan
Gaeilge a chuir Seán Ó Neachtain, file, air ina
dhán *A chliar sin Shráid na gCócairí* agus nach
ó aon Mr. Cooke a hainmníodh an áit. Ós a
choinne sin tá gach seans gur ón bhfear darb
ainm Temple a hainmníodh Temple Place i
Raghnallach agus gur deargsheafóid Plás an
Teampaill a thabhairt air.

Laistigh den chathair féin, gan bacadh le
hainmneacha bruachbhailte—Cluain Tarbh, Glas
Naoidhean, Domhnach Broc (nó 'Broic' mar deir
an *Onomasticon*)—ní heol dom ach aon ainm
amháin a tháinig anuas ar bhéalaibh daoine sa
teanga Gaeilge—an t-ainm Mullinahack (?Muil-
eann na hAithghiorra). Bhí cúpla ceann eile ann
a d'éag ón 18ú aois anuas, an Loch Buí (?)—
Loughboy in aice le Cill Michen; agus Geata an
Iarla (G. na Iarla *sic*) ar Wormwood Gate ag

Warburton, Whitelaw and Walsh san *History of the City of Dublin*, 1818—leabhar ar cuireadh cuid mhór de le chéile timpeall 1760. I ngeataí na seanchathrach, ní ina lár, a gheibhimid na samplaí tearca seo féin, rud a mheabhraíos dúinn gurb í seo príomh-chathair na Páile leis na céadta bliain.

3.

CEITHRE MAINISTREACHA

IS CUID de chúlra na cathrach na mainistreacha seo: Mainistir Mhuire óna ngairmtear Sráid Mhuire, Sráidín Mhuire, agus Sráid na Mainistreach; Mainistir Dhoiminiceach san áit a bhfuil na Ceithre Cúirteanna anois; Mainistir na Naomh, a bhunaigh Diarmuid Mac Murchadha, Rí Laighean (1166), a bhfuil a ionad ag Coláiste na Tríonóide anois agus cuid dá thalamh agus leagan dá ainm ag Coláiste na Naomh Uile i nDromchonnrach. Iad sin agus Coinbhint N. Muire na 'Hogges' a bhunaigh an Diarmuid céanna do mhná rialta San Aibhistín, ord Sasanach, agus a bhí an-Ghallda, tá siad mar chuid de chúlra creidimh na cathrach seo. Ó chuaigh na cinn deiridh seo i leith na Normannach agus na Sasanach, ar nós an Rí a bhronn talamh orthu, ní féidir cuimhneamh orthu le róghean.

Ach ní mór an stair a scríobh go fírinneach.
Cuid dár stair Diarmuid na nGall agus Leonard
Mac an Fhailghe. Cuid dár ndaoine iad, de laige
ár ndaoine, más de neart agus d'fheabhas ár
muintire na daoine a dtugaimid onóir dóibh.
Bolscaireacht agus ní stair an cineál a cheileas an
laige. Níl aon ghnó ag saor-náisiún de bhréagstair.

Agus cuimhnímis mar Chríostaithe gur beag
scéal nach mbíonn dhá insint air. Is maith a
d'fheil bolscaireacht náisiúnta in ionad fíorstaire
le gluaiseachta polaitíochta náisiúnúla a chur
chun cinn. Má thaispeánann an fhíorstair nár
dhrochrí amuigh is amach Diarmuid agus go
ndearna mainistreacha a thóg sé leas don chreid-
eamh—mura ndearnadar leas an náisiúnachais
mar a tuigtear le cúpla céad bliain anuas é,—
cuimhnímis nach raibh na smaointe céanna i
dtaobh náisiúnachais in aon tír sa dara aois déag
agus nach bhféadfaidís a bheith ag Diarmuid,
Rí Laighean, ná ag bráithre ná mná rialta na
mainistreach seo. B'aois é an 12ú aois a raibh na
hoird chrábhaidh ag leathadh. Ba aois feodachais
i gcúrsaí rialtais é. Má rinne Diarmuid do réir
smaointe a aoise—aois a rinne mórthábhacht de
chreideamh agus beag-thábhacht de náisiúnachas
—ní gá, anois ó tá an taoide casta, a mhaitheas
mar phrionsa Críostúil a cheilt. Má géilltear go
raibh gá leis na hoird nua, seachas an seanchóras
Gaelach mainistreacha, ansin caithfear a rá go
mba dea-Chríostaí é Diarmuid, i ngnó na
mainistreach.

Is leor mar theist, dar liom, ar lofacht an tseanchórais Ghaelaigh san 12ú aois a laghad troda a rinneadh in aghaidh na Normannach agus a réidhe agus a fhonnmhaire a ghlac an Eaglais leis an' réim nua. É sin agus an síormharbhadh a bhfuil na hAnnála lán dá thuairisc. Córas ar theip air, idir 1014 agus 1169-71, an tír a chur ar a bonnaibh agus i dtreo cosanta, amadán a bheadh dílis dó!

4.

MAIRTÍREACH

1583: *AN EORAIP* roinnte ina dhá campa faoi chúrsaí creidimh. Ní fhreagrann Éire don scéal ina bealach dúchasach féin, mar níl saoirse aici. Ar fhonn bhanríon Shasana agus a hoir-rí in Éirinn a bhraitheas rudaí Stáit, agus is rud stáit atá i gceist anseo.

Tá Eilís I, banríon Shasana, fógartha ina heiriceach ag an bPápa; tá an Pápa agus na tíortha Caitliceacha fógartha 'namhaideach' ag Eilís. Rí na Spáinne, cosantóir na gCaitliceach; Eilís I, cosantóir na bProtastúnach. Sort 'cruitín iarainn' idir an domhan Caitliceach agus an domhan Protastúnach. Bolscaireacht agus eile.

Féachann Protastúnaigh na haoise ar an Spáinn mar fhéachas Cumannaigh na haoise seo ar Stáit Aontaithe Mheiriceá. Caitlicigh a cúisítear as tréas le linn Eilíse I, cuirtear ina leith go bhfuil siad i gcomhcheilg leis an Spáinn, mar a cuirtear i leith Caitlicigh na Síne nó na hUngáire anois go bhfuilid i gcomhcheilg le Meiriceá.

Níl aon duine sábháilte. Básófar banríon uasal na hAlban i gcionn ceithre bliana ina dhiaidh seo (1587)—Máire úd Stíobhart a mheasas mórán a bheith ina mairtíreach as a creideamh, i ndiaidh míchlú salach (a mheasas údair inniu a bheith ina bholscaireacht) a chur uirthi.

Ní hinséanta ár 'gcomhcheilg' leis an Spáinn, más comhcheilg í. An Conradh Gearaltach, cogadh an dá Aodh, bhí an cúlra creidimh iontu. Ní hé nár fhéach Aodh Ó Néill le saoirse creidimh agus slándáil náisiúnta a fháil ó Eilís I. Ach ba chúinge aigne Shasana ná aigne na nGael. Scríobh Eilís I 'Ewtopia' (Utopia!) ar mholta Aodha— b'éigin taobhadh le Sasana nó leis an Spáinn i *ngach* rud. Leis an Spáinn a thaobhaigh formhór Gael, cé gur féidir na Gaeil Chaitliceacha a bhí in arm Eilíse ar feadh an chogaidh a lua mar chruthú nár imríomar ár gcleasa d'aon taobh. Conas a d'imreodh agus eachtrannaigh eadrainn ag séideadh faoi gach fuath agus fala dúchais?—

crumbled by a foreign weight
and by worse, domestic hate.

Rugadh Diarmuid Ó hIarlatha i gContae
Luimnigh sa bhliain 1519. Fuair sé oideachas
sagairt ar an Mhór-roinn agus chaith tamall ina
ollamh i Louvain. Coisriceadh ina easpag é an
27ú Samhain 1581 ag an bPápa Gréagóir XIII,
agus básaíodh in Áth Cliath é in aice Shráid
Bhagóid ('Bóthar na Croiche' chomh déanach le
1756) an 25ú Meitheamh 1583, an Aoine sula
dtáinig Sir John Perrot go hÉirinn mar oir-rí.

Céard a tharla sa bhliain go leith a thug ón
Róimh é go Bóthar na Croiche lasmuigh de Bhaile
Átha Cliath beag na linne sin? Faoi bhréagriocht
a tháinig sé go hÉirinn, ag teacht i dtír i Sceirí,
Co. Átha Cliath. Chuaigh sé as sin go Portláirge,
áit chun ar seoladh, ar loing eile, a chuid litreacha
agus doiciméidí ag cruthú gur ceapadh é ina
Ard-easpag ar Chaiseal. Tháinig foghlaithe mara
ar an loing sin, ámh, chreach í agus thug páipéirí
an easpaig do Rialtas Shasana, agus cuireadh
miotamas ina aghaidh go Caisleán Bhaile Átha
Cliath. D'éirigh leis na húdaráis rúnaí an easpaig
a ghabháil i bPortláirge, ach d'éalaigh sé, ar tús
go Sláine, as sin go Carraig na Siúire. Chuir an
Rialtas fios ar Bharún uasal Sláine agus thug
achasán géar dó faoi dhídean a thabhairt don
easpag. Bhagair siad air, á rá leis an t-easpag a
leanúint agus a ghabháil nó ——. Do lean agus
do ghabh. Tugadh an t-easpag bocht faoi gheimhil
agus faoi shlabhraí isteach go Cill Choinnigh agus
as sin, maille le gach mí-chompórd, éigean, masla
agus tarcaisne go Baile Átha Cliath, go dtí
Easpag Protastúnach Átha Cliath, an Sasanach

Loftus, agus Sir Henry Wallop. Cheistnigh siadsan é ach chinn orthu é chiontú. Mar sin, thriaileadar nós a gcloisimid trácht air inniu—shocraíodar tabhairt air 'faoisidin' a dhéanamh.

Is é an chaoi a bhí acu le tabhairt air an 'fhaoisidin' seo a dhéanamh, bróga stáin a chur air, íle a chur sna bróga agus a chosa agus na bróga sin orthu a chur os cionn tine gur bheirbhigh an íle agus gur bruitheadh a chosa go cnáimh. I rith an chéasta seo ní raibh glao ná focal as ach 'A Íosa, a Mhic Dháibhidh, déan trócaire orm.'

I ndiaidh an chéasta tugadh ar ais chuig an bpríosún é agus tugadh oiread aire dó go raibh sé in ann suí aniar sa leabaidh faoi cheann coicíse. Ligeadh do shagart Íosánach, an tAthair Mac Mhuiris, cuairt a thabhairt air agus na Sacramaintí a thabhairt dó. Is cosúil gur shíl lucht a chéasta go ndeachadar rófhada agus gur bhaol dóibh féin dá dtagadh oir-rí nua—ab ionann agus rialtas eile—i gcumhacht, rud a bhí á thuar. (*Bhí* athrú ag teacht, mar cuireadh Perrot anseo mar oir-rí.) Ansin, le nach saorfaí an t-easpag bocht, thugadar amach é, cúpla lá roimh an athrú oir-rí, go Cnoc an Chrochaire—sean-'Hangr Hoeg' na Lochlannach, idir Shráid Bhagóid agus an teampall Protastúnach i Sráid an Mhóta, agus chrochadar é, á thachtadh le gad de shlata crann as Faiche Stiabhna.

Nuair a bhí an mairtíreach marbh, chuir cara leis, Liam Mac Síomóin (Fitzsimmons) a chuaigh

ar an dturas deireannach leis agus a sheasaigh ag
bun na croiche, faoi deara an corp a chur i
gcomhra fiúntach agus a adhlacadh i roilig
Chaoimhín Naofa, an Bóithrín Fada (Long Lane).
Is ann atá colann chéasta an mhairtírigh ag
fanacht leis an aiséirí.

5.

_____

CLÓDÓIREACHT

AG an Eaglais Bhunaithe agus ní ag Caitlicigh a
bhí tús clódóireachta i mBaile Átha Cliath, agus
tús clódóireachta in Éirinn. *An Aibidil*, 1571, an
chéad leabhar Gaeilge a clóbhuaileadh in Éirinn.
Teagasc Críostaí Protastúnach é. Leanadar le
Tiomna Nua Gaeilge, i 1602, eagrán eile i 1603,
agus leabhar urnaithe Protastúnach i 1608.
D'fhreagair na Caitlicigh—ní i mBaile Átha
Cliath, faoi bhallaí an Chaisleáin, ach ón Mór-
roinn, le *Riaghlachas Phroinsiais*, 1610-14;
Scáthán an Chrábhaidh, 1616; *Scáthán Shácra-
muinte na hAithridhe*, 1618, agus mar sin de. Sa
tréimhse chéanna, bhí cló gann sa phríomh-
chathair, agus na clódóirí tógtha suas le hobair
rialtais de chineál 'Proclamation against Sir Cahir
O'Dogherty and another and other proclama-
tions,' 1608, 'The second Proclamation touching
Defective Titles and Surrenders,' 1609, 'Proclama-

tion against Priests and Jesuits', 1611. Sa bhliain 1615 clóbhuaileadh leabhar Fraincise 'Le primer Report des cases et matters en ley resolves et adjudges en les Courts del Roy en Ireland.' (Aithneofar nach í Fraincis chaighdeánach Phárais a bhí i gcúirt an Rí in Éirinn, ach galamáisíocht dhlíthiúil de Fhraincis Ghall-Normannach.)

I 1619 tháinig, ó láimh an Dra. Uí Mheára, an chéad leabhar Laidne a clóbhuaileadh anseo— *Pathologia Haereditaria*—tráchtas liachta ar ghalraí an tsinsir. I 1621 cuireadh amach *The Statutes of Ireland*, .i. reachta na Páile ón tríú bliain de réimeas an dara hEadbhard go dtí an tríú bliain déag de réimeas Shéamais I, agus leabhar ó easpag Protastúnach na Midhe, 'An Epistle concerning the Religion of the Ancient Irish' (100 leathanach). Tá eagrán nua de fán dáta 1623. Foilsíodh cuid mhaith leabhar díospóireachta creidimh, ón taobh Protastúnach, as sin amach, fiú nuair a bhí an chathair gafa i gcogadh.

Sa bhliain 1641 bhí an chontae agus cuid mhaith den Chontae Bhuirg (mar atá sé anois) agus de Bhuirg Dhún Laoire i seilbh nó faoi ionsaí an Éirí Amach. Mar shampla, chuir fear darbh ainm Winstanley as Coldblow Lane (ascal Bhelmont i nDomhnach Broic) a chuid stoic go Faiche an Choláiste le bheith sábháilte, ach d'fhuadaigh lucht an éirí amach a chuid stoic ón áit sin! Bhí Breatnach Charraig Maighin ina cheannphort ar an éirí amach i ndeisceart na contae. Crochadh ministéir Protastúnach Dheilginis agus a bhean

os comhair tí i gCnoc Mhuirfean; básaíodh
Sasanach darbh ainm Butterfield in aice Ráth
Fearnan (is uaidh ainmnítear Butterfield Lane,
áit a raibh teach ag Robert Emmet). Dalta go
leor den Eoraip san am, níl aon amhras nach
cogadh creidimh is mó a bhí i dtroid 1641 sa
chuid seo d'Éirinn. Ní haon náire dúinn é, mar
ba ré chogaí creidimh é, ach is mithid é admháil.
Bíonn an fhírinne folláin.

Istigh i ndaingean teanntaithe lár na cathrach,
timpeall ar an gCaisléan, bhí clódóirí ag obair, go
hoifigiúil, ar 'A true relation of the Plot Dis-
covered in Ireland and Rising of the Papists.'

Chuir Cromal deireadh le Parlaimint na Páile
(agus le Parlaimint na hAlban) fhad agus a mhair
sé, agus i 1654 foilsíodh 'a true state of the case
of the Commonwealth of England, Scotland and
Ireland, &c.' (W. Bladen, clódóir) ag míniú a
cháis i mBéarla. Le nach mbeadh Gaeilgeoirí dall
ar an gcás céanna, cheap fir Chromail ministéir ar
thuarastal £60 sa bhliain (ab fhiú £600 dár
n-airgeadna) leis an soiscéal oifigiúil a mhíniú go
rialta i nGaeilge ag Sráid Bhríde i mBaile Átha
Cliath, Baile Áth Troim i gContae na Midhe, agus
Ath Í i gContae Chill Dara. (Ceapachán 3 Márta
1656, ó Chaisleán Bhaile Átha Cliath) . . . 'in order
to the conversion of the poore ignorant native
. . . it is thought fit and ordered that the said
Mr. Carye doe preach to the Irish at Bride's
parish once every Lord's day, and that he doe
occasionally repair to Trim and Athye, to preach

as aforesaid . . . and that for his care and paines therein be allowed the salary of sixty pounds per annum to be paid quarterly.'

Bhunaigh Bedell léachtaí Gaeilge i gColáiste na Tríonóide agus é ina Phrófast ann, ach níltear dearfa cé mhéid tortha a bhí ar na léachtaí sin. B'fhéidir go mba dhuine de na mic léinn Carye úd.

I ndeireadh an 17ú céad tosnaíonn clódóireacht Chaitliceach Bhaile Átha Cliath. Sa bhliain 1685 clóbhuaileadh 'Psalms to be read for the King after Mass or at any other time (Sold by William Weston.)' I 1689 (bliain Rí Séamas, an bhliain roimh an mBóinn): 'A Sermon preached in Christ Church on Ash Wednesday by Edmond Dulany, Franciscan Fryar. Printed for Alderman James Malone, K.P.', agus 'A Sermon preached in Christ Church on Advent Sunday,' ag Wm. Hall, Séiplíneach don Aldarman céanna. Ba ag na Caitlicigh a bhí Teampall Chríost an tráth sin agus choimeádadar é go dtí Briseadh na Bóinne. Ag tagairt dó sin níos déanaí gheibhimid focail an Athar Liam Inglis, O.S.A. ag súil lena fháil ar ais:

Beidh ceol na cléire i gCill Chríost
Agus creidhill bhínn dá mhúscailt tráth.

Sa bhliain 1691, nuair a bhí Clann Bhullaigh i réim go fíor d'fhoilsigh John Whalley 'Mercurius Hibernicus, or an Almanack for the year of Christ, 1691.' Is dealraitheach gurbh é seo Dr. John

Whalley, Sráid Niocláis, a bhí ina ghréasaí bróg i
dtús a shaoil—fear a d'fhoilsíodh Almanac tairn-
gireachtaí. Ba namhaid do na Gaeil agus do na
Caitlicigh é: 'antichrist Bhanba, Doctor Whalley'
a tugtar air i ndánta Dhiarmada Mhic Sheáin
Bhuí Mhic Chárthaigh, agus thug Feardorcha Ó
Dálaigh, file Gaeilge agus fear de lucht aitheantais
Sheáin Uí Neachtain, file, ionsaí fíochmhar filí-
ochta air. (Is é an Feardorcha sin an 'Man dark
from Two Swan'—fear dorcha ó dhá eala—dá
dtagartar sa chuid de *Stair Éamoinn Uí Chléire*
ina bhfuiltear ag magadh faoi lucht foghlamtha
droch-Bhéarla. Chónaigh seisean tamall san ard-
chathair, freisin.) Bhí Whalley ar na Liamaigh a
theith go Sasana, áit ar bunaigh sé 'coffee-house,'
nuair a bhí na Seacóibítigh i dtreis anseo. D'fhoil-
sigh sé páipéar *Whalley's News Letter* ar feadh
tamaill. D'éag sé féin in 1724, bliain deireannach
Whalley's Almanack.

Sa bhliain 1760, níos mó ná seasca bliain roimh
Fuascailt na gCaitliceach, foilsíodh ag na Clabh-
stair (Doiminiceacha), áit a bhfuil na Ceithre
Cúirteanna inniu, leabhar urnaithe Caitliceach
dar teideal 'The Devout Manual, Fitted to the
capacities of all Roman Catholics. Dublin: Printed
at the Cloysters, 1760.'

Is fiú cuimhneamh gur i mBaile Átha Cliath
'ar chosdas mhaighistir Sheon User, Aldarman,
os cionn an Droichid an 20ú Lá de Iúin, 1571,' a
foilsíodh 'Aibidil nó Caiticiosma' Uí Chearnaigh,
gur i dtigh 'Mhaighistir Uilliam Uiséir Chois an

Droichthid' (sic) a clóbhuaileadh an *Tiomna Nua*
i 1602, gur i mBaile Átha Cliath a foilsíodh
Seanmóirí (Gaeilge) *Uí Ghallchobhair* i 1736 (an
chéad eagrán), agus gur foilsíodh eagráin eile i
mBaile Atha Cliath 1807, 1819, 1835, 1877 agus
1911. Is dóigh gurab iad na seanmóirí céanna an
chéad leabhar tábhachtach Caitliceach a foilsíodh
riamh sa phríomhchathair. Is cinnte gurab é an
chéad leabhar Gaeilge é a clóbhuaileadh anseo
a raibh ceannach mór air, agus meas ag pobal na
Gaeilge air ar feadh níos mó ná dhá chéad bliain.

6.

UACHT CHAITLICEACH

IS GNÁTH le daoine a cheapadh go mba bhaile
gallda amuigh is amach Baile Átha Cliath go dtí
am éigin gairid dár n-am féin; uair éigin san 18ú
aois, abair. Ceart go leor, bhainfeá tuairim as
ainmneacha méaraí agus lucht bardais go raibh
sin amhlaidh ó Ghabháltas Gall go dtí an séú aois
déag, maidir le haon phost tábhachtach.

Is léir, ámh, go dtáinig athrú éigin ar na
cúinsí sin, má bhíodar riamh chomh docht is
ceaptar, ó chéad leath na 16ú aoise anuas, agus
gurbh é polasaí na dTudorach glacadh le Gaeil,
go roinnt cúramach, b'fhéidir. Nuair a roinn

Énrí VIII tailte na mainistreach, fuair daoine ar chinnte gur Ghaeil iad cuid den talamh. Bhí post rialtais i ndeireadh na haoise ag Feidhlim Ó Tuathail. Ach ní heol dom aon chás ina bhfuil fianaise i dtaobh cúrsaí áirithe pearsanta ann mar atá i gcás an Dr. Ó Murchú, a bhfuil cóip dá uacht ar fáil.

Do réir an Rolla Chomhchruinnithe don Bhliain 1581-2, ligeadh isteach i saoirse na cathrach é faoin ainm John Morphe, 'chirurgion.' Naoi mbliana níos déanaí ligeadh isteach príntíseach leis, John Segerson, duine eile de theaghlach Caitliceach. Ach fillimis ar Sheán Ó Murchú, 'chirurgion,' an fear a bhfuil a uacht ar fáil, agus a bhí ina bhall de Chuallacht Mhuire, rud a cruthaítear ina uacht agus a chruthaíos an creideamh ar de é.

Toghadh ina Shirriam é i 1593; ina Mháistir Oibre i 1595, ina Aldarman i 1596. hAinmníodh mar Mhéara é i 1603 agus é breoite, ach cé gur cuireadh siar an toghchán d'aon turas mar shúil go dtiocfadh biseach air, fuair sé bás agus tugadh probháid amach i 1603. Ag a bhean, Mairéad Segerson, d'fhág sé formhór a mhaoine, ach is spéisiúla na miondeontais a rinne sé ná aon ní eile.

D'fhág sé deich bpunt—suim an-mhór an uair sin—le roinnt ar bhochta ar a shochraid, le go nguidhfeadh siad ar a anam—'to pray for me at my burial and at other times.' D'fhág sé mar an gcéanna tríocha gúna bréidín le roinnt ar bhochta ag a shochraid, cúig puint eile le tabhairt amach ag an tsochraid do bhochta nach mbeadh gúna fágtha dóibh; cúig scillinge—abair cúig puint dár n-airgeadna—le roinnt ar na príosúnaigh i New-gate, agus cúig scillinge de gach 'tighnambocht' in Áth Cliath; cúig puint dá sheirbhíseach Éamonn Ó Cuilleamhan, agus an tsuim chéanna do Ris-teard agus do Mhairéad, beirt clainne Éamoinn Uí Chuilleamhan. Gúna grógram don Éamonn chéanna. A chuid leabhar agus a chuid ionstraim dochtúra dá sheirbhísigh Risteard Ó Cairdín agus Risteard Mag Uidhir . . . ducat dúbalta óir dá chara Mr. Henry Burnell le fáinne a dhéanamh dó féin agus spurra ríoga dá mhnaoi 'mar bhocht-chuimhneachán orm féin.'

Ceathracha scilling sterling agus dhá pheice eorna do Dháithí Mac Aodha, táilliúr.

Morion, calliver, agus muscaed do mo chol-ceathar Uaitéar Ashpoll.

Do Phádraig Ashpoll agus dá mhnaoi, dhá bhó agus gearrán (two kine and one gearran) nó trí puint sterling.

Item, bheirim agus toirbheirim do Chólucht na Máinlia ceann de mo chupaí Siverton, agus an cófra mór atá sa Seomra Beag ar aghaidh na sráide lena gcuid scríbhinní a choimeád ann, i gcuimhne ormsa atá ag guidhe méadú dóibh ar gach dea-eolas.

Item, bheirim agus toirbheirim seacht scillinge déag sa bhliain de bhreis chíosa John Lany, fhad agus mhaireas ús air, le roinnt ar na príosúnaigh sa gCaisleán.

Item, bheirim agus toirbheirim do mo bhráthair gaoil Ráif Segerson agus dom dheirfiúr, Siobhán Ní Mhurchú, a bhean seisean, cíosa tithe Sheáin Uí Chuilleamhan agus Risteard Burnell . . . agus clóca do Ráif sin.

Daoine eile ar fhág sé rudaí lena uacht acu: 'mo chara beag Séamas Ó Loingsigh Mac Thomáis, bia, éadach agus deoch go dtaga sé in innmhe agus deich bpunt sterling ansin dó . . . Seán de Rís, Cnucha, cúig puint . . . 'mo rinn-chlaíomh (rapier) do Phádraig Ó Ceithearnaigh' (Mr. Patrick Fox) . . . Tríocha scilling do bhochta Ashtown . . . péire stocaí nua síoda do mo chara, Mr. Robert Leycester.'

D'fhág sé airgead freisin le haghaidh teampall agus tógála mar leanas, *inter alia:*

'Seacht bpuint le heaglais Tí Sagra, áit ar baisteadh mé agus arbh fhearr liom gur ann a déanfaí m'adhlacadh, a dheisiú . . . nó an t-airgead a bhronnadh ar dhaoine bochta na háite, do réir discréide mo mhná, ach b'fhearr liom don eaglais é.' Fágadh deich bpuint eile i leith an droichid a bhí le tógáil ag Baggotrath. (Droichead na Dothra: ó Shráid Bhagóid go dti an abhainn a shín baile fearainn Baggotrath.) An chuid eile, dheoin sé é 'to my well beloved wife, Margaret Segerson.'

In aguisín, chuir sé an méid seo a fhágaim sa

Bhéarla bunaidh: '*Item*, I do will and appoint
five pounds sterling of the ten pounds sterling
will to be bestowed on priests the day of my
burial to be given and delivered to the company
of the Sodality of Our Lady whereof I am one . . .
Item, I do will and appoint three pounds sterling
of the lands of Cullmyne yearly to be expended
on poor scholars where my wife and overseers of
my will shall think meet.'

Chuir sé agó san aguisín ag fágáil cead ag a
mhnaoi airgead a bhí uachtaithe roimhe seo do
theampaill 'St. Nicholas, St. Warbroe (Werburgh)
and the Church of Castleknock' agus don droichead
a hainmníodh a úsáid ar bhealach eile mura
ndéanfaí rud éifeachtúil laistigh de bhliain tar
éis a bháis leis na teampaill a dheisiú agus an
droichead a thógáil.

Ba le Ó Murchú an teach i Raedh na gCraic-
neoirí a bhí ina dhiaidh sin ag Segersúnaigh
Bhaile an Sceilg, ina dhiaidh sin ag an 'bhFéit
Séif,' ina dhiaidh sin ag Banc La Touche, rud a
thugas dhá chéad bliain de stair dúinn—agus a
bhfuil muintir Arigho i láthair na huaire sa teach
a sheasas san ionad i bPlás Theampall Chríost,
ar a dtugtaí Raedh na gCraicneoirí, .i. Skinners
Row.

Taispeánann an uacht seo, a ndearna mo
shean-athair Seoirse Sigerson cóip de, go hádh-
mhúil, sarar dódh an Oifig Iris Poiblí sna Ceithre
Cúirteanna sa gCogadh Cathartha, oiread rudaí
spéisiúla agus gur fiú iad d'áireamh:

1 Caitheann sé solas ar shaol, ar theach, ar éadach agus ar throscán duine uasail cathrach sa ré sin.

2 Tá sloinnte Gaelacha agus Gallda chomh measctha agus bheidís in aon tsráid inniu—iad go léir ag fáil rud éigin san uacht amháin, á thaispeáint nach raibh aon deighilt imeasc na ndaoine sin.

3 Taispeánann na deontais san uacht do phríosúnaigh i Newgate agus sa gCaisleán go raibh cead rudaí d'uachtú mar sin. (Tá fhios againn ar bhealaigh eile go raibh géarghá acu lena leithéid.)

4 Taispeánann an tagairt oscailte do shagairt agus do Chuallacht Mhuire san aguisín go raibh seans uacht Chaitliceach a chur i gcrích, agus an deonadh do na teampaill agus don droichead go raibh gá bheith ag brath ar dhílseacht a mhná agus ar sheasamhacht na seiceadúirí le sin a dhéanamh.

Pointe spéisiúil eile: bhí an teach ag daoine gaoil Bhean Uí Mhurchú tríd an 17ú aois uile—Cromal, an Bhóinn agus eile—mar sa bhliain 1704 thug Tomás Segerson, Baile an Sceilg, Ciarraighe, léas 9999 bliain ar an teach do William French, Alderman, únaer 'Ye Wheate Sheaf and Three Legs of Man,' mar a chífeas an léitheoir ar ball.

BREATNACH IN ÁTH CLIATH

I LITIR a scríobh Breatnach arbh ainm dó
Hywel nó Howel, an 9 Lúnasa 1630, tá an tagairt
seo don Ghaeilge a chuala sé sa gcathair:

'Deir daoine áirithe a chuireas spéis i bheith ag
cur teangacha i gcomparáid lena chéile gur
canúint den tsean-Bhreatnais í an Ghaeilge. I
gcomhrá príobháideach a bhí agam le daoine
oilte den náisiún sin, thuigfeá uathu go rabhdar
claonta chun na tuairime sin. Pé scéal é, tig
liom a dhearbhadh duit, a uasail, go bhfuaireas
amach go bhfuil mórchuid suaithinseach ('a great
multitude') dá bhfocail bunúsacha ar aon dul leis
an mBreatnais, ó thaobh céille agus fuaime. Tá
cosúlacht freisin sa titim cainte ('tone') sa dá
theanga. An chéad uair a bhuaileas amach agus
a shiúlas síos agus suas ar mhargaí Bhaile Átha
Cliath, cheapas gur sa Bhreatain Bhig a bhíos
agus mé ag éisteacht lena gcuid cainte. Mothaím
a nglór a bheith roinnt cantalach agus roinnt
caointeach. Sílim gurb é an chionntsiocair atá leis
seo, a mhinicí a smachtaigh na Sasanaigh iad.'

MÍCHEÁL Ó CLÉIRIGH

NÍL aon ainm de sheanainmneacha Béarla na cathrach is deise ná Rosemary Lane, Lána Rós Mhuire, atá ag taobh Theampall Ché na gCeannaithe, díreach ó thuaidh de Shráid na gCócairí. Is fada fada baint ag na Proinsiasaigh leis an gceantar seo. Threoraigh an lána, atá gan teach anois, ón gcé go dtí Sráid na gCócairí agus is dealraitheach gur shiúl fear mór le rá é, mar bhí, an Bráthair Mícheál Ó Cléirigh. Mar a mheabhraíos leacóg sa teampall dúinn, chaith an Bráthair seo, duine de na Ceithre Máistrí, tamall anseo agus thug ruaig ó dheas go Gleann Dá Loch, áit ar bhreac sé síos i 1639 na scéalta faoi Chaoimhín Naofa a bhí i sean-leabhair. 'I gCaisleán Coimhghín láimh le Gleann dá Locha i gCúige Laighean i mBaile Fiachach Uí Thuathail do scríobhadh na laoithe seo . . . as an leabhar do scríobhadh d'Fiachach Ua Thuathail; agus is follas do lucht a léite go bhfuilid go salach cé náir domsa san d'admháil do thaobh mo choda féin . . . I gConveint na mBráthar Bocht do scríobhadh an dara feacht ag Drobhaois.'

Is glé an pictiúr a gheibhimid as Beathaí Naomh nÉireann ar an órshlabhra de mhainistreacha nach raibh mainistir Ché na gCeannaithe ach ina lúb amháin ann.

Is spéisiúil na háiteacha ar bhailigh Ó Cléirigh na giotaí d'athscríobhadh sé i nDrobhaois in aice le Bun Dobhráin. Scríobh sé rudaí a bhain le Beatha Chaoimhín, cuir i gcás, i nGleann Dá Locha féin, 'i gCloch Uaitéir láim le Leithghleann i gCúige Laighean . . .' agus áiteacha eile.

Rinne scríobhaí eile, Aodh Ó Dálaigh, cóip de leagan eile den Bheatha in Áth Cliath, sa bhliain 1725: 'sostaim i dtig Phádraig Uí Mhurchú inniu an seachtú lá 20 de Mhí October 1727, láimh re Cuan Bhinn Éadair Mhic Seanlaoi, agus ag Rinn na Céibhe i gcathair Áth Cliath.' Tuairimíonn Plummer gur ionann Rinn na Céibhe agus Ring-send, ach ba dhóichí liomsa gur áit éigin eile a bhí i gceist, mar is lenár linn féin a tugadh Ringsend isteach sa chathair. 1735 an dáta atá ag Ó Dálaigh ar thosach a scríbhinne, 1727 ag deireadh.

9.

_____

ABHAR SCANNAIL

AR an gceathrú Aoine tar éis an 24 Meitheamh 1657 chuir na Cromalaigh fógra amach faoi ábhar mór scannail sa chathair. I Rolla Comhchruinnithe Átha Cliath do bhliain 1657 (leathanach 118) atá bunleagan an fhógra.

'De bhrí, do réir dlí, go mba chóir do gach éinne sa tír seo an Béarla a labhairt agus éide Gallda a chaitheamh . . . mar shárú air seo agus mar dhrochmheas air táthar ag labhairt na Gaeilge go coitianta agus mar ghnás agus ag caitheamh éide Ghaelaigh ní hamháin ar na sráideanna, ní hamháin ag daoine a thagas ón dtuaith agus a dtriall ar an gcathair seo laethe margaidh, ach mar theanga theaghlaigh ag roinnt teaghlach sa gcathair seo, rud a chuireas míshásamh mór ar chomhairle a mhórachta róonóraigh i gcóir gnótha na hÉireann agus is ábhar scannail é ag áititheoirí agus ag breithiúin na cathrach; rud a thaispeánas go mbítear ag eascainí, ag mallachtaigh agus ag cleachtadh blaisféime mar a déantar i mBéarla agus mar a déantar go mór freisin i dteanga na Gaeilge, rud is masla do dhlí na tíre, rud a dhúiseodh fearg Dé agus a bhéarfadh, b'fhéidir, an phláigh agus breithiúnais de shaghasanna eile ó láimh Dé ar an gcathair seo.'

10.

TÁBHAIRNE GAELACH

SAN ÁIT a seasann teach Arigho anois i bPlás Theampall Chríost, tógadh teach san 16ú aois a bhí mar áitreabh i ndeireadh na haoise sin ag an Dr. Ó Murchú, Máinlia agus Aldarman de chuid na cathrach.

I ndiaidh briseadh na Bóinne thóg Aldarman eile, Aldarman French, an teach ar cíos ó Thomás Segerson as Baile an Sceilg, Co. Chiarraighe, a raibh gaol cleamhnais ag a mhuintir leis an Dr. Ó Murchú, agus d'fhoscail tábhairne ann faoin ainm 'The Wheate Sheaf and the 3 legs of Man.'

Cuireadh an dán 'A ansacht is a shearc gach saoi' le Seán Ó Neachtain 'chun Póil Mhic Aogáin sa bhFéit Séif' do réir colophon. (Láimhscríbhinn G vi I, fóile 97-99, san Acadamh.)

Críochnaíonn an dán leis an bhéarsa:

> Mo ghreadadh géar is creachta tréad na bPápairí
> Is scoth na cléire i gcarcar chael gan aird gan chaoi
> Trí fhearta (?) Dé go bhfeice sé tapaidh teacht gan scíth
> Leagadh léir ar aicme an Bhéarla a chráigh mo chroí.

I gcaibidil xxi de leabhar an Dra. Sigerson— *A Pale Family*—tá an nóta seo faoin teach:

'In 1704 Thomas Segerson of Ballinskelligs demised to William French, Alderman of Dublin, a house on the South side of Skinners Row known by the sign of ye Wheate Sheaf and 3 Legs of man for the remarkable term of 9999 years at the rent of £50 a year, he to build and improve or perfect

the said lease at the option of the said Segerson.
The sign of the Wheate Sheaf is an interesting
mark for it is a reminder of its former owner
John Morphe, Surgeon, Sheriff and Alderman
whose arms bear 3 wheat sheaves.'

Ó fhianaise an dáin féin is léir gur chun sagairt
a seoladh é, agus luann colophon an Wheat Sheaf,
rud a bhéarfadh le tuiscint gur ann a chónaigh an
sagart, nó go mba seoladh ionadach aige seoladh
an tábhairne.

11.

PRÁTAÍ AGUS PÓNAIRÍ

AN RAIBH baint ag Seán Ó Neachtain, file, le
trádáil na bPrátaí? Thuigfeá sin ó dhán an-fhada
a scríobh sé, mar aon le réamhrá próis, faoin
teideal 'Cath Bhearna Chroise Bhríde,' sa bhliain
1705. Sa tráchtas agus sa dán araon, déantar
soiléir é gur cara do na Gaeil an práta, 'an
Spáinneach gléigeal' .i. gur de chlainn Míleadh
Easpáinne an glasra é féin, agus gur pónairí agus
eile is ansa leis na Gaill. Baineann an dán leis an
tuath timpeall ar Bhaile Átha Cliath, ó Thamh-
lacht go dtí Binn Éadair, agus tá trácht freisin
ann ar Chluain Dolcáin agus ar a lán daoine a
raibh, is cosúil, cáil orthu sa trádáil, corrdhuine

a bhfuil eolas againn orthu ar bhealaigh eile. Is é atá sa dán tuairisc ar throid bhata a tharla, deirtear, i mbliain 1705 'ag Bearna Chroise Bhríde os cionn Tamhlachta i gContae Bhaile Átha Cliath' idir lucht prátaí d'fhás ag bun shléibhte Átha Cliath agus lucht pónairí d'fhás as Fine Gall agus ó na tailte méithe. Sa bhriathar-chath a tharlaíos, freisin, eatarthu, Gaeilge a labhras gach éinne ach amháin fear atá ag caitheamh achasáin le duine as Fine Gall, atá gan Gaeilge, do réir cosúlachta:

> Labhair sé le Mac Uncail
> 'You big bumpkin from Fingal
> Will you fight for your country
> Or will you venture a fall?'

Cé go n-abrann an dán, atá i láimhscríbhinn Egerton 165 i Sasana agus i 24 L 34 R.I.A. anseo gur

> tugadh cath na Bearnan
> nach dtéid i mbáthadh choíche
> an bhliain d'aois an tiarna
> cúig ar sheacht gcéad ar míle

chinn orm a thuairisc a fháil sa bheagán nuachtán ó 1705 atá ar fáil. Dán mór fada é ina bhfuil 66 carachtar luaite agus is féidir a thuairimiú gur daoine de lucht margaidh na cathrach cuid mhór acu. Tá dealramh na fírinne ar Énrí Ró, ar Dicí Martin, ar Risteard Dublann agus ar Shíomón Martin, agus tá fhios againn cérbh é 'Riostard Tiobar' atá luaite sa dán. Dá mbeadh liostaí de lucht na margaí torthaí le fáil ón mbliain 1705 is dóigh go bhfaighfí tuairisc ar 'O Cuin Chlan Dalcan' (sic) agus ar 'Séafraí Ó Coin.' Tá sáiteán ann in aghaidh 'Caiptan Síle nach raibh dílis do Shéamas,' agus is cosúil gur masla tarcaisneach é do Luttrell, oidhre óg Luttrellstown, a chuaigh le harm Liaim nuair a thuig sé gurb é bhí ag buachtáil. D'fhan an t-athair, sean-Luttrell, dílis do Shéamas, agus chuaigh don Fhrainc agus a champaí scaoilte, rud a d'fhág an státa breá i gContae Bhaile Átha Cliath ag an mac a bhí in ann casadh ar thaobh na buaidhe.

Ar na logainmneacha atá luaite sa dán tá Tamhlacht féin, Doire na Scoile (cá bhfuil sé?), Baile an tSagairt (Priestown, i mBéarla), Seinchúirt (Oldcourt, láimh le Tamhlacht), Binn Éadair, an Ghráinseach, Dún Binne.

Go Binn Éadair, sa deireadh, a ruaigeadh muintir Fhine Gall, i dtroid bhata a mheabhraíos na scéalta faoi Aonach Bheartlamaí Dhomhnach Broic dúinn. Chuir Tiobar agus Ró deireadh leis an troid ansin, agus shnaidhm síocháin . . . gan fala bheith acu feasta in aghaidh a chéile, ach a bhfala a choinneáil 'd'eachtrannaigh aon uaire.'

> Cuireadh an tsíoth in ordú
> Is Dia in urrús go ndéanfadh
> An grán déirc mar a bpotata
> Ag sin críoch Chogadh na Bearnan.

EAGLA AR LIAMAIGH

SNA BLIANTA i ndiaidh 1691 agus go maith
anonn i dtús an 18ú céad bhí lucht leanúna Rí
Séamas in Éirinn i ndlúthchaidreamh leis an
bhFrainc. Báid Éireannacha ag dul i seirbhís na
Fraince mar 'Phríomháideoirí,' agus fir óga ag
dul isteach i gcatha in arm na Fraince—agus cuid,
leis, in arm na hOstaire, cumhacht Chaitliceach
eile. Diabhail bhochta ag troid do rítheaghlach a
bhí gan suim, mórán, ina dtír sinseartha, Alba,
gan trácht ar Éirinn, agus a bhí sásta Éireannaigh
agus Albanaigh d'úsáid le coróin Shasana a fháil
ar ais. Rí nach raibh gan misneach, mar ceapadh
san am, ach d'fheall orainn ar an mBóinn nuair a
chuir sé na gunnaí móra go Gaillimh *roimh an
gcath féin* ar an ábhar, sílim, nár theastaigh uaidh
buille trom ar bith a bhualadh ar Shasana in
Éirinn ach Rí Liam a mhoilliú le súil go n-iompódh
na Sasanaigh ina aghaidh, tríd am, agus go
bhfillfidís ar a ndílseacht do na Stíobhaird. Ba é
laige mhór chóras na dTrí Ríocht—Rí amháin ar
Shasana, Éire agus Alba, ach Parlaimint ag gach
tír—go gclaonfadh an Rí leis an tír ba mhó agus
ba shaibhre. Rud a tharla, fiú do ríthe de shliocht
neamh-Shasanach; agus rud a bhí nádúrtha go
maith, ach sílim go míníonn sé an *sabotage* ón

taobh istigh agus ón uachtar trínar chailleamar
Cogadh na Bóinne. B'Albanaigh na Stíobhairt de
bhunús. Ba iad rítheaghlach na hAlban iad,
teaghlach Mháire, Banríon na Scotach a mheasann
daoine a bheith ina mairtíreach Caitliceach.
Ba Bhreatnaigh a chothaigh baird na céad-
Tudoraigh. Ba Éireannach ó thaobh a máthar,
agus Breatnach ó thaobh a hathar, Eilís I Shasana.
Ba Francaigh cuid de ríthe Shasana roimhe, e.g.
na Plantagenets. Ba Dhúitseach Liam, ba Ghear-
mánach gan Béarla Seoirse I. Ach rinne tionchar
atmosféir agus saibhris Londan níos Sasanaí ná na
Sasanaigh iad sa pholaitíocht, rud a luigh le réasún,
agus b'fhéidir le dualgas, agus cinnte le gliocas.
Dá mbeifeá féin os cionn trí ríocht a raibh
Sasanaigh níos líonmhaire agus níos saibhre ná an
dá dhream eile iontu, nárbh é do leas, má bhí i
ndán duit fanacht i do rí, an-dáimh a bheith
agat leo? Nárbh é do dhualgas é? Cén fáth mar
sin ar lean Éire, ach amháin plandóirí Uladh,
na Stíobhairt? Cuir tú féin san am, agus fiafraigh
cé an rogha a bhí rompu, má b'é rogha an dá dhíth
féin é. Poblacht a bhunú? Bhíodar céad bliain
roimh am an Phoblachtais. Rí Éireannach a
thoghadh? Bheadh ina réabadh idir iarrthóirí
difriúla.

Ceist eile ar fad bheith chomh díograiseach i
leith na Stíobhart, nach raibh thar moladh beirte
mar Chaitlicigh féin, chomh mór agus a bhí
Ó Neachtain ina leith. Ní mór machnamh ar na
nithe seo; mar is léir óna bhfuil i leathanaigh an

leabhair seo féin gur lean na Gaeil dílis do na
Stíobhairt tríocha bliain rófhada, fiú má admh-
aítear an dílseacht sin a bheith réasúnach i 1689,
agus nuair a admhaíos tú gur dream sinn nach
n-athraíonn go tapaidh. Ach d'athraíomar sa
deireadh, agus d'fhág slán go mall ag an gCnota
Bán, cúis nach raibh préamhaithe anseo chomh
doimhin agus a bhí in Albain, tír dhúchais na
Stíobhart. Cloisimis, go fóillín, torann na dtonn
fá shleasaibh na long a bhí le breith stairiúil
'uisce na Bóinne' a chur ar ceal. Bhí na longa sin
an-chomhgarach ar fad don chathair seo, chomh
gar le Binn Éadair:

Cé siúd thall ar Chnoc Bhinn Éadair?
Saighdiúir bocht mé le rí Séamas:
Do bhíos anuiridh in arm 's in éide
Is tá me i mbliana ag iarraidh déirce.

Ag iarraidh déirce? Ná hiarr, a chailleach, ach tóg
ort chun na Mór-roinne, ar lorg an tSáirséalaigh,
Cath Thiarna an Chláir, Cath Mountcashel, cath
an Diúca Berwick, fiche cath eile, ba mhaith leo
do leithéid. Beidh áit duit ann, mar tá bearnaí
anois sna rancanna a d'fhág Luimneach agus a
sheol as Corcaigh, tá suim bhlianta ó shoin anois.
Togha saighdiúirí, trodairí maithe. Neart glóire
míleata . . . *En avant, à la gloire militaire*, mar
adeir na Francaigh. B'fhéidir gur ag Cremona a
bhuailfeadh an ghlóir sin leat. Is fearr sin ná
bochtanas agus tarcaisne i mBaile Átha Cliath,
áit a bhfuil cuid de chlann Liaim féin ag iarraidh
déirce anois. Cé an long sin thíos, eadrainn agus

Inis Mhic Neasan? Francach ar a cosúlacht . . .
Ach fainic! Bí cinnte ar dtús . . . Ar an *London
Gazette* 20-24 Lunasa 1694, tá cur síos ar long
Shasanach a cuireadh ar ancaire lasmuigh de
Bhinn Éadair, gur ardaigh sí bratach na Fraince,
nach raibh ar bord uirthi ach daoine a labhair
Gaeilge nó Fraincis, agus go dtáinig léi breith ar
dhaoine a bhí ag iarraidh eitilt ina ngéabha fiáine.
Agus do réir an nuachtáin *Dublin Intelligence*,
12 Márta 1709, 'the North coasts swarm with
French privateers.'

San *History of Ireland in the* 18*th Century* (iml.
i, lch. 414) inseann Lecky dúinn nár neamhghnáth-
ach daoine i scaoll. Sa bhliain 1708, le linn ráfla go
raibh an *Pretender* ag brath ionradh a dhéanamh
ar Albain, cuireadh 41 d'uaisle Caitliceacha i
bpríosún i gCaisleán Bhaile Átha Cliath, ar eagla
na heagla.

Seo anois 'Aisling Bhinn Eadair,' dán a chum
an tAthair Pól Mac Aogáin, file den dámhscoil,
an bhliain chéanna sin 1708. Seo nóta ón
láimhscríbhinn:

> Aisling do chonairc Giollarnaomh Ó hUal-
> lacháin oíche Fhéil San Dáibhidh ar Chnoc
> Bhinn Éadair, 1708-9, óir do tháinig fiche
> cabhlach mór san gcuan, is do tháinig slua
> mór iontach as an loingeas, agus triath og
> ina thaoiseach orthu, is mionn óir ar mhullach
> cinn an rí-thaoisigh is do chuir a mheirge
> shuaithnidh shíofraí fhíorghorm ar mhullach
> an chnoic mar is follas do Mhac Aogáin.

AISLING BHINN EADAIR

Aisling bheag ar Éirinn do chonaic mé gan gó
Bratach ar Bhinn Éadair ba fíorghorm snó
'Meirg siúd Rí Séamas' ars' an síogaí bréagach
Gasra Gael dó ag géilleadh feadh an fhoinn gan
   brón.

D'éirigh ua na Séamas go bhfeirg mhóir
D'éirigh Rua Bhinn Éadair, an rí ós Bóinn,
Do scaip a shlua le chéile soir is siar go saothrach
Go críocha Mhéibhe is ó Bhanna ar fad go Feoir.

An dtáinig sé go hÉirinn, an flaith caomh óg ?
Re cumhachtaibh lóin is éide, an fear is deise cló;
An dtáinig sé nó an féidir go bhfuil anois in Éirinn
A shlua le clú le chéile ag flaith na bhFian is ló ?

Dob ioma fear in éigin de Ghallaibh faoi bhrón
Is bean mhór ag éimhe imeasc na sló
Fir ag rith gan éadach gan oiread is a léine
Ó Chumar síos go hÉirne is go Clíona thar an ghleo.

Ba trua Gaill na hÉireann an uair sin gan treo
Ar díth crodh is séada gan a samhail beo
Gártha caointe is éimhe ar feadh na gcríoch le
   chéile
Soir siar is den taobhtheas ar ísliú maoine is óir.

Ar muscladh ar maidin damh ní facadh na sló
Aisling shuarach mhagaidh do chonairc mé mo
   ghleo
Uch, ba trua mé im aonar ag gol is ag caoi ag
   éirí dhamh
Gan neach dar shíl in Éirinn ins an tsaol mór.

MUINTIR NEACHTAIN

IS AISTEACH gur gá an cheist a chur, cérbh
iad muintir Neachtain. Cé chuirfeadh ceist i
Sasana, 'cérbh iad na Brontes?' Agus is tábhachtaí,
de mhórán, Seán Ó Neachtain i litríocht na Gaeilge
ná na Brontes, ná Southey, ná Herrick i litríocht
an Bhéarla.

Is fíor nach bhfuil i gcló dá mhórshaothar ach
baicle bheag liricí ar nós 'Rachainn fán gcoill leat,
a mhaighdin na n-órfholt' agus na liricí eile a
d'fhoilsigh Úna Ní Fhaircheallaigh, sin agus 'Stair
Éamoinn Uí Chléire' nach furasta fháil. Rinneadh
feall air nuair a coinníodh siar a shaothar con-
spóideach uile, nach mór, mar ba Chaitliceach
agus Seacoibíteach mór é i ré dár stair nárbh
fhéidir na ceisteanna 'conspóideacha' sin a sheach-
aint. Thairis sin, ba fear uasal, oilte, béasach é.
Má cheapann éinne nárbh ea, .i. go mba fear
ragairneach é toisc gur scríobh sé go magúil faoin
ragairne i 'Stair Éamoinn Uí Chléire,' tá sé chomh
maith a cheapadh nach raibh ach airde orlaigh i
Swift nuair a scríobh sé faoi Lilliput agus gur ina
fhathach a bhí sé agus é ag scríobh faoi Brobding-
nag. Is leor comhluadar Uí Neachtain san Ard-
chathair mar a léirítear sa leabhar seo le cruthú
go raibh modh agus meas ag cléir agus tuath air,

gurbh *'homme cultivé et de bonne famille'* é, mar
adeir Dottin ('Les Littératures Celtiques'). Deir
Piaras Béaslaoi in 'Éigse Nua-Ghaeilge' go raibh sé
'ar na húdaraibh Gaeilge ba thábhachtaí agus ba
mhó le rá ó ré an Chéitinnigh anuas.' Má sea, is
olc an teist orainn nár foilsíodh dá shaothar ach
an beagán atá le fáil.

Maidir lena mhac, Tadhg, is mó den scoláire
ná den scríbhneoir chruthaitheach a bhí ann; tá
a leabhar 'Eolas ar an Domhan' spéisiúil ó thaobh
tíreolais stairiúil na linne. Baineann spéis leis
freisin mar theist ar fheabhas mháistir scoile a
bhí ag múineadh i mBaile Átha Cliath san 18ú
aois. Tá an leabhar le fáil go furasta.

Ach is é an t-ábhar spéise is mó faoi mhuintir
Neachtain, b'fhéidir, an comhluadar filí, fir agus
mná, cliar agus tuath a bhí timpeall orthu i
mBaile Átha Cliath, rud a rinne sórt *cénacle*
liteartha dá dteach i Sráid an Iarla, láimh le
Sráid na Midhe.

14.

SRÁID AN IARLA THEAS

IS i Sráid an Iarla Theas, in aice Pimlico, a
chónaigh Tadhg Ó Neachtain. Sa tsráid sin a
thóg sé a mhac óg, Peadar Ó Neachtain, sagart de

Chumann Íosa ina dhiaidh sin, agus is ann a fuair
Caitríona Nic Fheorais, céad-bhean Thaidhg, bás
i 1714. Sa tsráid sin, freisin, a bhíodh an bhan-
fhile, Máire Ní Reachtagáin, tríú bean Thaidhg,
agus féadaimid bheith dearfa gur minic a bhí
Seán Ó Neachtain féin ann, mar taispeánann a
chuid scríbhinní eolas mór ar an gcuid sin den
chathair. Tá sé nach mór cinnte gur ann a d'éag
Lúcás, deartháir Thaidhg (+ 1710) agus Seán
Beag Ó Neachtain (+ 1714), mac Thaidhg. Ó
thiarna talún darb ainm Poole, a maireann a
shloinneadh in ainm Poole St., Pimlico, a bhí
an teach ar cíos acu. Múinteoir scoile i scoil
sa chathair a mhair 'faoi shrón an Stáit' ab ea
Tadhg. Chum sé leabhar geograife Gaeilge 'Eolas
ar an Domhan' ar mhaithe lena chlainn féin.
Thuigfeá ó nótaí Thaidhg gur i mBéarla a bhí an
teagasc. Thuigfeá ó údarás eile go raibh Béarla
ag gach duine sa chathair, agus Gaeilge agus
Béarla ag a bhformhór.

Ón mbaint fhada a bhí ag an teaghlach seo le
ceantar Pimlico, baint a leanas nach mór seasca
bliain agus a chlúdaíos trí ghlún daoine—ó Sheán
Ó Neachtain, an seanathair go Peadar Ó Neachtain
S.J., nó ó thuairim bhliain na Bóinne, 1690, go
dtí tuairim 1750—bheadh súil ag duine go mbeadh
a lán tagairtí do shaol Ghaelach agus Caitliceach
na cathrach le fáil i láimhscríbhinní leis an
'gcróing cliar', agus tá cuid mhaith ag Seán
Ó Neachtain (1650-1728). I 'Stair Éamoinn Uí
Chléire', cuirtear troid fathach ar siúl cois Poitéil

(abha folaigh Átha Cliath, a shníos trí Shliabh Argus, agus thar na Saoirsinní síos go mbuaileann sí le Life mhór ag Cé Wellington). 'An tan do chonaic an fathach an-neart a chomhchomhlannaigh do thug deirge ar bháine . . . agus do ghlac briseadh go tobann tinneasnach go ráinig an abhainn dá ngoirtear an Poitéal i nDromcollchoille mar ar chuir cleas an ghath builge ina shuí.' Is é Dromcollchoille an droim thalún a thosaíos thoir ag 'Cork Hill,' truailliú ar 'Chollchoill' dar le dream áirithe.

In áit eile sa leabhar céanna tagann an laoch 'go húr iathbhán leargach Laighean agus go bánta biata Dhrom Collchoille' .i. Átha Cliath. (Ba mhór an chuid d'Áth Cliath bídeach na seanlaethe an droim sin.)

Áit eile arís 'go ráinig Achadh an Droma dá ngoirtear anois Sráid Shan Tomás i ndoras Átha Cliath.'

Chaoin triúr filí Gaeilge, a bhí i mBaile Átha Cliath an uair sin, Éamonn Ó Broin, Ardeaspag Bhaile Átha Cliath a d'éag 1724. Seán Ó Neachtain, Ao Buí Mac Cruitín agus Tadhg Ó Neachtain an triúr.

Gheibhimid radharc eile ar shaol Ghaelach Chaitliceach na príomhchathrach sa dán 'Ochlán Thaidhg Uí Neachtain ar ndul don Spáinn dá mhac Peadar, 1728':

Seacht gcéad déag fiche a seacht
Do scar lem' chroí a ansacht
Peadar dílis ag triall thar toinn
d'fháil barr oideachais is foghlaim.

Ó chuan Duibhlinne ling an long
Go cuan chainteach Chill Mhantáin
As sin go Corcaigh inar fhos
(Ina scríbhinn dúinn a dhearbhas).

Tús a litreach lean mo ghrá
Is tús fós a ghramadá
Ag m'athair dil, Seán, mo shearc
Ag deargadh aithinne a intleacht.

Fós tús a cheoil do char mo chuid
Uaim féin fíor (ní fáth a dhearmad)
Is rialú a mhéir gan briathar gó
I scríobh gaoiseach na Gaeilgeo.

Sampla maith é sin ar fhilíocht tur Thaidhg,
a bhfuil cuid mhaith artifisialtachta ag baint léi.
'Grá' agus 'gramadá,' 'gó' agus 'Gaeilgeo' a
caithfear a rá le comhfhuaim a dhéanamh. Ach
tuigimid gur múineadh ceol, gramadach, scríbh-
neoireacht agus Gaeilge don lead óg i Sráid an
Iarla.

Ag trácht ar Mháire Ní Reachtagáin, ní miste
an dán a scríobh sí ag fáiltiú roimh an Athair
Proinsias Laighneach (Lynagh i mBéarla) ar a
theacht ar cuairt dó go Baile Átha Cliath (nó

Duibhlinn, mar deir sí) a lua. Déanann sí imirt
le dhá bhrí a shloinneadh, .i. sloinneadh faoi
leith agus duine as Cúige Laighean.

> Fáilte rót go Duibhlinn daoineach
> Oide fhíre an fhíorchrábhaidh
> A aoire ionraic úr-thréad Íosa
> A chroí dhílis na hiolghrádha.

> Réalt eolais as slite
> Go dún naofa Dé Dúileach
> Proinsias páirteach, cé Laighneach
> I bhfoighne is in umhla.

> Céile chumainn an chóirchreidimh
> I dteagasc is i bhféile
> Míle fáilte rót, a chumainn,
> Go hÁth ionmhain Duibhlinn daoineach.

Ní mór fuaim 'grága' nó fuaim dé-shiollach ar
aon chuma a thabhairt do 'ghrádha' sa chéad
cheathrúin, agus 'Daoilinn' a bheith mar fhuaim
ar 'Dhuibhlinn.' Ós rud é gur chuala mé 'trága'
mar ghinide ar thrá ag seandaoine in Óméith,
agus gur 'daoi' an fhuaim ar 'duibhe' sa Mhumh-
ain, b'fhéidir nach é tionchar a fir chéile fé
ndeara na rudaí seo. Bhí iarracht den *pedant* i
dTadhg: bhí leabhar 'crua-Ghaeilge' ar a dtugtar
'An Sanasán Nua' le Mícheál Ó Cléirigh, sa teach
aige agus é ag iarraidh caint nádúrtha a linne
d'fheabhsú le rudaí as.

15

FILE AGUS SAGAIRT

Beannacht fós dod' chróing cliar
Ó Áth Cliath is buíoch díobh,
A n-impí ghéar ar Mhuire Mhór
Gaeil i só a bheith go buíoch.

Pól Céitinn, 1726

BHI BAINT an-dlúth ag na filí Gaeilge a bhí sa phríomhchathair leis na sagairt a bhí ag freastal ar Chaitlicigh na cathrach. Bhain clann Neachtain le paróiste Chaitríona a shín an uair sin ón Life ag an mBóithrín Salach (an chuid uachtarach de Shráid Bhundroichid) go Cros an Araldaigh, agus tá sé nach mór cinnte gur i Séipéal 'Dirty Lane,' mar adeireadh Béarlóirí, a baisteadh Peadar Óg. (Tá a dheimhniú baiste le fáil fós, ach i Laidin, ní i nGaeilge, atá!) Is é Eaglais Shráid na Midhe an comharba dlistineach dílis ar shéipéal peannaidiúil 'Dirty Lane,' agus go deimhin, díreach mar is abhar bróid do Chríostaithe an chros chéasta ba chomhartha náire tráth, is abhar bróid do Chaitlicigh a n-aiséirí, atá le léamh i gcéimeanna bua ó 'Dirty Lane' na bPéindlíthe go dtí Sráid na Midhe i ndeireadh an 18ú céid; go dtí Ardteampall ionadach Mhuire i Sráid Mhaoil-bhríde an 19ú céid, go dtí ár dteampaill nua, go dtí cinn le teacht fós. Mór idir inné agus inniu.

Bhí dlúthbhaint ag na filí seo le sagairt a bhain leis an seanteampall Doiminiceánach i Sráid na gCócairí a rabhthas ag baint leasa as mar theampall do phobal pharóiste St. Audoen's (paróiste Cholmcille go dtí gabháltas Gall). Is léir an bhaint sin ón dán 'A chliar sin Shráid na gCócairí' le Seán Ó Neachtain agus an míniú atá leis sna láimhscríbhinní.

Lá dá raibh Seán Ó Neachtain ag an Aifreann a Séipéal San Doiminic i Sráid na gCócairí d'fhága i ndearmad a lámhainní ina dhiaidh agus fuair Mac Bráda, buachaill na hEaglaise, iad agus cheil iad. Ris sin (leis sin) do scríobh an Seán céanna chun gach aon de chléirchibh na heaglaise fó leith, agus adúirt:

A chliar sin Shráid na gCócairí
Ní tuar ceart trócaire díbhse
An té do cheil mo lámhainní
(An chreach do chráigh mise) a chaomhnadh.

Ceann ceart crábhaidh an treabhlaid
An tAthair dearscnach MacMurchú
Mura ndíbre go pras MacBráda
Tuillfidh ó na cairde díomú.

An tAthair troscach Ó Hára
Is cóir gur cántach an duine
Do ghadaí má bheir dídean
Is fios a mhíghníomh aige.

Don Athair Muirí mo bhráthair
Is dochrach an gábha anma
Gur fhulaing, momeint d'aithrí
Gan an gadaí do mharbhadh.

An tAthair Eaduirt mar síltear
Mar uainín caorach gan chionta
Ní bhfuighe logha ón gcáineadh
An tAthair Pápa go bhfeicfidh.

Níl an Paorach gan chionta
Do chuala seisean mo chaoi-se.
Is ní chuireann suim in mo dhíobháil
Is mise gach aon lá ag caoineadh.

An tAthair Foster is cáinteach
Fear mór láidir mar Oscar
Má chuala gníomh an ghadaí
Is gan an cleasaí do chrochadh.

An tAthair Houston ag deireadh
Ag sin go deimhin an díoghrais
Do bhéarfadh deamhan chun aisíoc
Is chun a pheaca do stríocadh.

Cé tá an drong seo go deimhneach
Gan choir gan chionta gan anaoidh'
Sílim nach bhfuil sé díreach
Go dtugaid dídean do ghadaí.

&c.

Tugann an dán sin ainmneacha na sagart a bhí
i Sráid na gCócairí san am, na haithreacha Mac
Murchú, Ó Hára, Muirí, Eaduirt, Paor, Foster,

Houston. Is dócha gurb é an tAthair Eaduirt an
'Rev. Edward Murphy P.P. 1687-1715' a bhfuil
tagairt ag Dr. Donnelly dó, agus gurb é an
tAthair Mac Murchadha an Rev. Simon Murphy
P.P. 1715-1745 a bhfuil tagairt ag an údar céanna
sin dó. Bhí 'Saepéal San Dominic' á úsáid san am
mar Eaglais Pharóiste do Pharóiste San Audoen.

Is aoibhinn an caoin-mhagadh agus an greann
a thaispeánas go raibh an-chairdeas idir an file
agus na sagairt. Rud eile, cruthaíonn an dán nach
raibh aon easpa oidí faoistine ar Ghaeil Bhaile
Átha Cliath fholaigh an 18ú aois.

Má ba chorrach féin an saol a bhí acu agus an
eaglais ceilte ar chúl an tábhairne mar adéarfá—
an tAthair Pól MacAogáin le fáil sa *Wheat Sheaf;*
agus séipéal ar chúl *Adam and Eve's Tavern*—
mar sin féin, bhíodar beo beathach agus toil acu
don litríocht.

16.

RISTEARD TIOBAR

I MEASC na scríobhaithe Gaeilge a bhí sa
phríomhchathair i dtús an 18ú aois, is fiú spéis a
chur i Risteard Tiobar as 'Baile Mhistéil, a

condae Bhaile Átha Cliath i mBarúntacht Chais-
leán Cnoc.' Is ionann sin agus 'Mitchelstown' an
lae inniu, áit atá beagán taobh thiar den bhóthar
a théid ó Fhionnghlas go Cill Dhéagláin (Ash-
bourne), díreach in aice le Clochrán Mhullaigh
Eadairne nó Cloghran-Huddert. Ba chruinn cúr-
mach an scríobhaí é, agus is fiú do dhuine bualadh
isteach san Acadamh agus féachaint ar an dá
leabhar láimhscríbhinne uaidh, 23 L 33 (1710)
agus 23 L 32 (1717). Tosaíonn an chéad cheann
le Beatha Bríde agus na focail 'in ainm Dé an
obair so.'

Tá cinn-litreacha daite ina chuid láimhscríbh-
inní agus, mar chruthú ar a mhórómós don
Mhaighdin Bheannaithe, focail an *Ave Maria* sa
Laidin le gluais Ghaeilge, mar seo: 'Ave, Gratia
Plena, Dominus Tecum: Dia do bheatha, a
ghrása lán, atá an Tiarna maille riot'; agus arís:
'Gratia plena, atá tú lán de ghrása; dominus
tecum, atá an tiarna maille riot; benedicta tu in
mulieribus, is beannaithe thú idir na mnáibh'
&c.

Leanann cóip den aor *Parlaimint Cloinne
Thomáis*, agus dánta le Ó Neachtain, Ó hEis-
leannáin, Ao Buí Mac Cruitín as Contae an Chláir
(a chaith tamall sa chathair i gcuideachta Dhámh-
scoil Uí Neachtain), agus an gnáthdhíolaim nó
anthology liteartha.

Ós leabhrán a bhaineas le hÁth Cliath é seo,
luafad cuid de dhán Uí Eisleannáin:

Fáilte dhuit go hÁth Cliath
A churaidh do char an mór-thriath
O t'fheicsin sa gcathair i bhfus
Is luagháireach tuath agus eaglus. (*Sic*)

Is é atá ann, dán ag fáiltiú roimh Toirdheal-
bhach Ó Domhnaill éigin ag filleadh ar ais ón
Mhór-roinn ina shagart dó, tar éis Cúirt na gCliar,
an chúirt filíochta, a thréigint 'ar chruithneachtain
ainglí Pharrthais.' Tá na línte seo i meadaireacht
an abhráin i ndeireadh an dáin:

Ó thréigis gach téarma is faisiún na gcliar
Is gan spéis agaibh ina mbéasaibh i mBaile
    Átha Cliath
Taoi gan séagaíocht ón aon oíche go seachtó
    blian
Ag géar-ghuí bheith tréan duit i bhFlaitheas
    ag Dia.

Gheibhimid dhá thagairt do Risteard Tiobar ag
údair eile: ceann i ndán le Tadhg Ó Neachtain ina
luaitear 'Risteard Tiobar ó Fhine Gall' mar
dhuine den Dámhscoil, ceann eile sa dán 'Cath
Bhearna Chroise Bhríde' ina luaitear mar seo é:

Tig Risteard Tiobar ó Chlochra (*sic*)
Ar each cheannard chrón chraosach
Ba dhúthrachtach cróga calma . . .

Trua gan tuille eolais faoi. (Tipper an leagan
Béarla dá shloinneadh.)

17

UAIGH ARDEASPAIG

REILIG álainn a coimeádtar go maith reilig N. Michen. Neart aeir agus féir ann. Í ag síneadh siar ó Shráid an tSean-Teampaill, sráid a bhfuil aghaidh na coda nua den teampall léi. Breathnaíonn an seantúr a bhfuil an dáta 1686 air siar i dtreo fuineadh gréine, i dtreo Shráid Bow, agus tá an ciúnas siar uaidh mar tá spás uile na reilige idir an seandoras thiar agus Sráid Bow agus gan aon bhealach mór isteach ar an taobh sin.

Tamall siar taobh ó dheas de chasán a bhfuil corr-chrann duilliúir-ghlas sa bhféar ar gach taobh de tá uaigh ar a bhfuil na focail: 'The Grave of Robert Emmet.' Cuir paidir lena anam, agus gabh buíochas leis an Dia Glórmhar a chuir a leithéid d'óigfhear chugainn agus sinn i ngéibheann, pé áit ina luíonn a chorp, agus tá seans gur anseo atá. Cas ansin ó thuaidh ar an bhféar, áit a stopann an fál, agus, ag breathnú i dtreo dhoras an teampaill duit, chífidh tú leacht mór maiseach agus scríbhinn Laidne air; tuamaí beaga cloiche ón 18ú aois in aice leis. Druid suas, go bhfeice tú na focail:

Memoriae Sacrum
Reverendissimi JOANNIS CARPENTER

Romani Catholici
Archiepiscopi Dublinensis &c.
Qui
Prudentia Pietate ac Doctrina
Egregie Ornatus
Ecclesiam Sibi
concreditum summa
Cum Fidelitate Cultusque divini
Proventu annos sexdecim
Administravit
Obiit die Vigesima nona Octobris
Anno Domini MDCCLXXXVI
Aetatis suae
quinquagesima septima.

Tá armas Mhic an tSaoir greanta ar an gcloich. Ach má bhreathnaíonn tú ar sheantuama Thomáis Uí Laoi, ar a bhfuil scríbhinn Bhéarla atá beagnach scriosta ag an síon, chífidh tú gur in uaigh Mhuintir Uí Laoi, fara deichniúr clainne Uí Laoi, a hadhlacadh an tEaspag agus gur cosúil gur ina dhiaidh sin a cuireadh suas an leacht Laidne. Chífidh tú sa *Compendium of Irish Biography* a scríobh Alfred Webb, MDCCCLXVIII:

CARPENTER, John. Archbishop of Dublin, 1770-86: was the son of a merchant tailor who resided in Chancery Lane, Dublin. Educated at Lisbon, distinguished himself in connection with Lord Taafe for the Repeal of Penal Laws. Died 29 Oct. 1786. Buried in St. Michan's Churchyard.

Má bhreathnaíonn tú *Celtica,* iris Scoil an Léinn Cheiltigh, d'Institiúid Ard-Léinn Átha Cliath, chífidh tú aiste ó láimh Bhriain Uí Chaoimh ar aistriúcháin ar an *Imitatio Christi* ina luann sé go mb'fhéidir gurb é Mac an tSaoir a chum an leagan 'Ultach,' 'Tóraíocht ar Lorg Chríosta' (*Celtica,* Iml. II, Cuid II, 1954).

Anois, nach spéisiúil an duine an tEaspag seo? Fear óg cathrach a rugadh sa bhliain 1728 nó 1729 agus a scríobh leabhar urnaithe fada Gaeilge —*compendium* iontach don am sin den chreideamh Caitliceach, ina bhfuil 278 leathanach ina láimhscríbhinn féin, agus dhá cholophon:

> Seán Mac an tSaoir. 'Ro thionsgain do scríobhadh i mBaile Átha Cliath, Duibhlinne, an treas lá don mhí Mheodhain Shamhradh, an bhliaghain d'aois Chríost míle seacht ceud ceathrachad a sé' agus

> 'Finis. Do chríochnaidh an leabhrán so le láimhscríbhinn Sheáin Mhic an tSaoir, an treas lá fichead de deich mí, Míle seacht ceud ceathrachad agus sé, MDCCXLVI.'

Tá sa leabhar urnaithe seo, urnaithe do gach ócáid; urnaithe maidne, tráthnóna, roimh Fhaoistin, roimh Chomaoine agus i indiaidh Comaoineach, Clár Féilte agus gach rud a bhíos i ngnáthleabhar urnaithe Caitliceach. Is iontach an saothar sé mhí an 279 fóile den leabhar a scríobhadh idir 3-6-1746 agus 23-12-1746. (Cuireadh beagán leis ina dhiaidh sin—leathanach 303 an ceann deiridh

anois.) Seachas glaine na Gaeilge agus a líofacht,
cé mar fuair an scríbhneoir an saibhreas sin munar
tógadh le Gaeilge é? Cad a mheabhródh d'fhear
óg a leithéid de leabhar a chur le chéile mura
mbeadh an teanga beo beathach ina thimpeall
mar uirlis cainte agus paidreoireachta, mar a bhí
timpeall ar Ó Neachtain? Ní foláir nó bhí
mionramh an-láidir de Ghaeilgeoirí sa gcathair
an uair sin, fiú má fhéadaimid a bheith cinnte
gurb é an Béarla a bhí ag an móramh. Agus
tá a fhios againn cérbh é Mac an tSaoir. Mac
táilliúra ab ea é as Lána Seansaire in aice leis na
gCaisleán.

Smaoineamh eile a bhuailfeadh thú, agus tú ag
scrúdú an leabhair urnaithe sin san Acadamh
(23 A 8 a uimhir), a iomláine a bhí cultúr Gaeil na
hÉireann uile agus oideas Gaelach 'Duibhlinne'
féin ag an scríbhneoir. Sa chlár d'Fhéilte níor
dhearmaid sé na naoimh áitiúla agus logánta:
Fearfulla nó Fearfughail, ep. Cluain Dolcáin (10
Márta); Aenghus, Ab Tamhlachta (11 Márta);
Tola 'ep. Díseart Tola' (30 Márta)—bhí 'St.
Tulagh's' ar an taobh ó dheas den Life; Bearaidhe,
'ep. Átha Cliath' (8 Bealtaine); Rumold, 'ep.
Átha Cliath' (1 Iúil); Mobhí Cláiríneach Ab
Glasnaoidhin, 12 Meán Fómhair (nó 'Seachtmí'
mar a scríobhas sé. (Ep.=Episcopus, .i. easpag.)

Ar ndóigh tá Lorcan Ó Tuathail, 'ep. Átha
Cliath' (14 Samhain), Dulach (17 Samhain) agus,
duine a dhearmadfaimis cinnte, 'Siadhal, Ab
Átha Cliath' curtha síos aige. Agus shíl mé féin

ar lorg údar eile gur thruailliú ar an rud céanna
'Tola' agus 'Dulach,' agus gurbh ionann iad agus
an naomh Lochlannach 'Saint Olaf.' Is cosúil
nárbh aon Lochlannach Tola ach Cláiríneach. Tá
rud an-deas curtha síos aige do 19 Márta, Féile
San Seosamh, .i. 'Ioseph, comaidhean Muire Óigh.'
Na naoimh eile a raibh teampaill ina n-onóir sa
gcathair, níl siad dearmadta—Pádraig, Bríd,
Caoimhín. Ná naoimh i bhfad ó bhruacha Life
agus Bráideoige—Conall, Ab Inis Caoil (22 Beal-
taine), Moninne, 'Ban-ab Sliabh Cuilinn' (6 Iúil).
Naoimh eile—Columbán (21 Samhain), Seachnall
'ep. Dúnseachnail' (15 Samhain), Maló (15 Samh-
ain)—tugann siad sin inár smaointe sinn ón
Mhidhe soir go San Maló, go Luxeuil, go Bobbio,
go dtí gach uile áit ar an Mór-roinn inar bheannaigh
Gaeil. Uasal an oidhreacht atá dearmadta ó
tháinig tuile an Ghalldachais tharainn.

Dalta sagairt eile, an tAthair Ó Luindín (nó
Linegar) a bhí ina shagart paróiste i Lána Mhuire,
nuair a bhí Mac an tSaoir ina shagart óg ann,
dalta an Athar Valentine Rivers a bhaist Peadar
Óg Ó Neachtain, is i Lisboa a fuair Mac an tSaoir
oideachas sagairt. Go dtí an Spáinn, tríd an
bPortaingéil, a chuaigh an tAthair Ó Neachtain.
Níor tháinig liom aon eolas a fháil faoin tréimhse
a bhí sé i Lána Mhuire.

Níos deireannaí, sheasaigh sé an fód ar son
saoirse na gCaitliceach leis an Tiarna Táth (Lord
Taafe), Éireannach as Contae Sligigh a bhí ina
Mharascal Machaire in arm na hOstaire, agus a

chaith tamall in Éirinn ag seasamh cirt do
Chaitlicigh agus ag iarraidh deireadh do chur leis
na Péindlíthe. Tugann an tAthair Maolmuire Ó
Rónáin eolas dúinn fán chaoi ar dheighleáil sé leis
an troid ab éigin a dhéanamh in aghaidh na
Foundling Hospitals, nuair nach raibh cead sean-
móir dhéirciúil a thabhairt in eaglais Chaitliceach.
Ag sárú an reachta san, ceapadh an Dr. Austin S.J.
le seanmóir a thabhairt i dTeampall Mhíchíl, Lána
Rós Mhuire. Thóg na fearmadóirí oiread raic agus
go dtáinig eagla ar an Easpag, agus gur chros sé
an seanmóir, ar eagla 'go réabfaí ár gcuid séipéal
agus an broscar a bheadh fágtha díobh a chaith-
eamh amach ar an tsráid.' Ach i gcionn bliana
ghlac sé misneach agus cheadaigh an seanmóir.

Sa bhliain 1778 ritheadh an chéad Acht
Fóirithinte do Chaitlicigh faoinarbh éigin dóibh
mionna a thabhairt, ag séanadh (1) aon dílseacht
'don té a thugadh Prionsa na Breataine air féin le
linn a athar agus a thugas, deirtear, an treas
Séarlas anois air féin,' (2) an tuairim nár mhiste
eiricigh a dhúnmharú. Tháinig an Dr. Mac an
tSaoir agus seachtó eile den chléir Chaitlicigh ina
fharradh leis an mionna a ghlacadh i láthair
Bhinse an Rí i mBaile Átha Cliath. Sa bhliain
1781 ghlac sé páirt sna toghcháin chathrach don
Choiste Chaitliceach, rud a thug tacaíocht mhór
don iarracht ler baineadh amach Acht Fóirithinte
1793.

Nuair a bhí sé i bhfad ina easpag, scríobh
Gaeilgeoir éigin—é féin, b'fhéidir, mar tá an
scríbhneoireacht cosúil lena láimhscríbhinn féin

ach í bheith beagán níos mó (sort leathadh ar na litreacha, rud a thiocfadh le haois),—an méid seo ar an taobh istigh de thosach an leabhair:

> An leabhar urnaithe so, ro scríobhadh in aois a óige le Seán Mac an tSaoir, atá anois ina Ardepscop Átha Cliath, Duibhlinne, et príomhaidh Éireann, agus ro coisreagadh don tSuidh sin an treas lá don mhí Mheadhoin Shamhradh, Domhnach Cincíse, MDCCLXX.

Tá nóta Béarla ag duine éigin—Hardiman, sílim, mar bhí an leabhar urnaithe ina sheilbh tamall:

> This most valuable R. Catholic Prayer Book (to p. 282) is in the handwriting of the Most Reverend John Carpenter, Roman Catholic Archbishop of Dublin. This venerable man was intimately versed in the ancient language of Ireland.

Níl léiriú níos fearr ná na focail sin ar an tubaiste uafásach a bhí ag leathadh ar an náisiún ná Béarla Hardiman (más é Hardiman a scríobh) i leabhar nár truaillíodh le Béarla ná le dearcadh an Bhéarla go dtí sin. Níor fhéach Seán Mac an tSaoir air féin, cinnte, mar Roman Catholic Archbishop of Dublin, ná ar an nGaeilge mar 'ancient language.' Ba thréadaí dúthrachtach é agus ní mar 'ancient language' a bhí an Ghaeilge aige. Idir an dá dhearcadh tá áibhéis is doimhne ná an fharraige Athlantach!

Do réir nuachtán na linne, fuair sé bás Dé Domhnaigh, 29 Deireadh Fómhair, 1786, ina

Pictiúir méadaithe de leathanach as leabhar urnaithe an Ardeaspaig Mac an tSaoir, 1746.

I láimhscríbhinn 23 A 8 in Acadamh na hÉireann atá an leabhar urnaithe

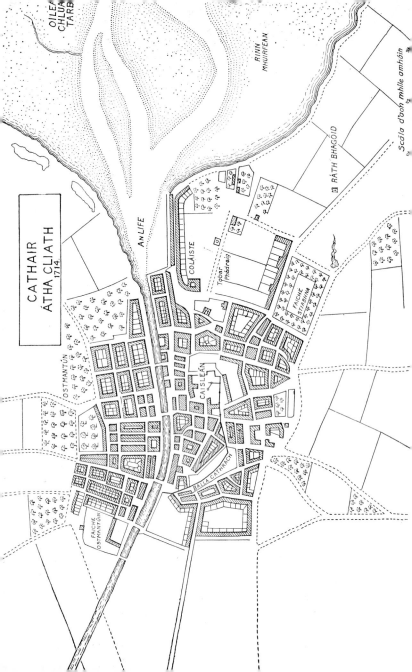

CATHAIR ÁTHA CLIATH
1714

OILEÁ
CHLUA
TARB

RINN
MHUIRFEAN

Scála d'aon mhíle amháin

RÁTH BHAGÓID

AN LIFE

COLÁISTE

Tobar
Phádraig

FAICHE
STIABHNA

OSTMANTÚN

CAISLEÁN

BALLA CATHRACH

FAICHE
OSTMANTÚN

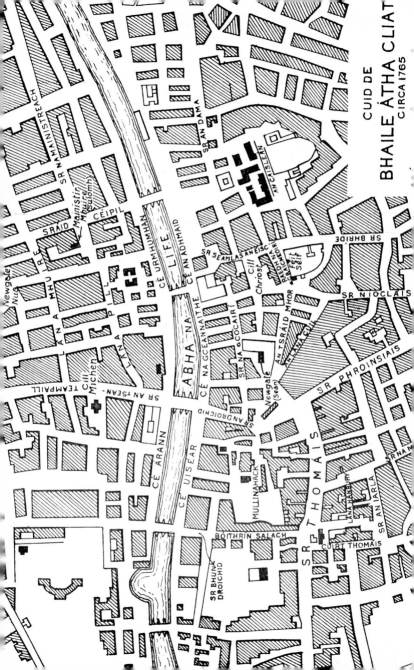

CUID DE
BHAILE ÁTHA CLIAT
CIRCA 1765

Mairtíreacht Dhiarmuid Uí Iarlatha, 1583

A — Loscadh na mbróg;   B — An Crochadh;   C — Pádraig Ó hEilí, O.F.M., Easpag Mhuigheo, agus bráthair eile á gcrochadh i gCillmocheallóg
As leabhar le R. Verstegan a clóbhuaileadh in Antwerpen, 1587.

theach ar Oileán Uiséar. Ar an *Publick Register and Freeman's Journal* (28 go 31 Deireadh Fómhair, 1786) tá an méid seo faoi:

> Died—On Sunday morning, at his house, Usher's Island, the Right Reverend Doctor John Carpenter, titular Archbishop of Dublin. It may be truly said that this eminent clergyman underwent the inevitable lot of mortality, as universally regretted by all ranks and all persuasions as ever fell to the share of a Divine. He was singularly happy in blending the politeness of the pastor and the urbanity of the man with the strictness of the Christian missionary. With a mind highly informed, classical, chaste, liberal, and a heart regulated by the warmest tide of benevolence, his life was such an example of piety and goodness as made him conscious of the true duty of that being, which he has resigned into the bosom of his God.

Ar an bpáipéar céanna tá tásc bháis ar Dr. Nicoláis Suataman, Easpag Fearna, a d'éag san aon tráth.

Féadaimid lucht na sochraide a leanúint, anonn thar an Life, go dtí úir choisreactha N. Michen, áit a raibh uaigh ag feitheamh leo láimh le deichniúr clainne a dheirfiúr, faoi leacht Uí Laoi, ar a léitear:

> This stone was erected by Thomas Lee, Merchant, for himself and family, 1780. Here

are interred ten of his children who died
young. Most Revd. Doctor John Carpenter,
died 29 Oct. 1786, aged 58. His sister, Mrs.
Christian Lee, died 29 Dec. 1792, aged 50
years.

Nuair a thugas cuairt ar uaigh Mhic an tSaoir
an 21 Bealtaine 1955, tharla taisme trínar dhearc
mé ar mo chúl, ar dheis, agus an tuama Laidne
os mo choinne. Ag tarraing leabhar nóta as mo
phóca dhom, thit mo phaidrín agus (cé nach
dtugas seo faoi deara) eochair mo chairr ar an
bhféar. Ag amarc siar, chonaic mé an tuama: dar
liom, ó tá paidrín i mo láimh, déarfaidh mé
deichniúr le hanam an té atá faoin leacht, mar is
léir gur leacht Chaitlicigh é. Ansin bhreathnaíos
an leacht, agus cé go raibh sé fíordhoiligh a léamh,
rinne mé amach ainmneacha. O Laoi ar tús, ansin
Mac an tSaoir. 'Dar fia,' adeirim, 'seo fionnach-
tain!' Thug mé trí chuairt ar an uaigh, idir
cuartú na heochrach agus eile, sula dtáinig liom
an scríbhinn uile a léamh le cúnamh píosa d'éadach
fliuch a thug an reiligire i leith. B'fhiú an dua, mar
is cosúil go raibh uaigh Uí Laoi caillte agus gur
mé an chéad duine le fada a léigh an scríbhinn
Béarla, atá ar neamhréir, maidir le haois an
easpaig (58) leis an scríbhinn Laidne 'quin-
quagesima septima' (57). As sin go dtí an Leabhar-
lann Náisiúnta liom, áit ar dhearbhaigh an
Freeman's Journal agus *Finn's Leinster Journal*
an dáta.

Go luí créafóg Chill Michen go héadrom ort, a

Sheáin Mhóir Mhic an tSaoir, agus nár chuire
easpa an Aifrinn sa teampall láimh leat iomarca
cumha ort. Tá do mhuintir láimh leat agus iad
dílis, agus clog binn an Aifrinn ó N. Muire na
nAingeal, Sráid an tSean-Teampaill; ó Theampall
Phóil, Cé Árann; agus ó Theampall Mhichein,
Sráid Halston (Lána na Bráideoige le do linnse)
ag fuaimniú os cionn féir t'uaighe. Choinníomar
an creideamh a theagasc tú agus, le cuidiú Dé,
caomhnóimid an teanga ab ansa leat 'in aois
t'óige' agus tú ag cur do leabhair urnaithe le
chéile.

Trua gan tuilleadh eolais againn faoi t'athair,
an 'merchant tailor' úd ó Lána Seansaire, agus
faoi do mháthair. Is cosúil ón dea-Ghaeilge a bhí
agat chomh hóg sin nár de Ghall-Chaitlicigh iad.

Níl mé in ann aon chruthú canúnach a fháil ar
an Leabhar Urnaithe; togha Gaeilge é atá ar aon
dul leis an sort a scríobhadh Seán Ó Neachtain
agus a lán de scríobhaithe oilte an 18ú céid, rud
a d'fhágfadh gur roghnaigh sé a chuid leaganacha
as eolas maith agus nach gcruthaíonn aon leagan
ann dada faoina shinsearacht phearsanta. An rud
adúirt Piaras Béaslaoi faoi Ghaeilge Sheáin Uí
Neachtain—'is beag scríbhneoir eile lena linn a
bhí chomh saor ó chanúnachas cúige'—tá sé
ináite fá Mhac an tSaoir, mar atá sé ináite
freisin faoina chomhaimsireach mór, an Dr. Ó
Gallchobhair. Bhí eaglaisigh an chéad leath den
18ú aois róghar don traidisiún liteartha le beith
cúng ná cúigiúil. Is galar é an cúigeachas a thagas

nuair a bhíonn teanga i mbéalaibh báis, agus bhí
an Ghaeilge dhá chéad bliain ó shoin an-bheo, i
bhfad níos beo agus níos treise ná an Bhreatnais
nó an Bhriotánais inniu.

18.

SCÉAL SAUL

hAINMNÍODH Cúirt Saul ar an taobh ó dheas
de Shráid Seamlas an Éisc ó Labhrás Saul,
ceannaí saibhir Caitliceach lá den tsaol, arbh
éigin dó a thír agus a chathair dhúchais a fhágáil
ar siocair na bPéindlíthe.

Timpeall 1759 tugadh cúis dlí in aghaidh Saul
as bean óg de mhuintir Thuathail a chaomhnú
agus dídean a thabhairt di ina theach nuair a bhí
a muintir ag iarraidh tabhairt uirthi dul isteach
san Eaglais Bhunaithe. Is ag an triail seo a rinne
Seansailéir na hÉireann an *dictum* clúmhail 'nár
mheas an dlí Pápaire Éireannach a bheith sa
ríocht.' Is é Saul a scríobh na focail seo chuig
Cathal Ó Conchubhair, Béal Átha na gCarr, a
mhol dó cruinniú den Choiste Chaitliceach a
thabhairt le chéile lena ndílseacht agus a seirbhís
a thairiscint don Rialtas: 'Ós rud é nach bhfuil
seans dá laghad ann go ndéanfaí ar na péindlíthe
oiread de bhogadh agus go mb'fhiú do dhuine

fanacht san oileán seo an ghéibhinn má thig leis áit a cheannach dó féin i dtír éigin eile, áit ar féidir saoirse phearsanta agus sochar do chuid maoine fháil, an dtógfaidh tú orm a rá, mura mise an chéad duine nach mé an duine deireannach a éalós as tír nach bhfuil dóchas ar bith agam dul chun cinn inti, ná mo chuid déantús a chleachtadh go mór. *Heu, fuge crudelas terras, fuge littus avarum.* Ach conas a thiocfas liom cur suas, an tráth seo de mo shaol, nuair atá an chríne ag druidim liom, agus mo choimpléasc lagaithe go mór le dianobair intinne, leis an dealú a chaithfeas mé a dhéanamh le mo chairde, le mo ghaolta, le dúthaigh mo shinsear, le mo *natale solum.* Nach cruaidh an chinniúint dom, in áit eascairdeach éigin i gcéin, dul ar scoil arís le teanga, dlíthe agus forais na tíre a fhoghlaim, le lucht aitheantais a dhéanamh as an nua, le mo shaol a thosnú arís. Ní thig liom an scarúint seo ó gach uile rud is ansa le mo chroí a shamhlú gan buaireamh aigne agus briseadh croí. Ach nuair a ordaíos an Creideamh dom é agus a mhúineas an Chiall dom gurb é an t-aon bhealach amháin é le daoine óga a choimeád ó chathaibh an diabhail agus ó chontúirt anma, is mó agam an t-abhar seo ná gach rud eile. Tá rún daingean agam mo chuid a dhíol a luaithe is féidir agus dul thar lear, agus caithfead bheith sásta leis an aon tsólás amháin atá agam, cineáltas agus grá mo chairde.'

Go gearr ina dhiaidh sin, thréig Saul a thír dhúchais agus chuaigh don Fhrainc, áit a bhfuair sé bás i nDeireadh Fómhair, 1768.

19

AISTEOIR AGUS AMHARCLANN

AG SRÁID CECILIA, áit a raibh foirgnimh ag lucht leighis na hOllscoile Náisiúnta, a bhí ionad na hAmharclainne seo; seasann cuid de na foirgnimh fós. Agus is é Theatre Royal an lae inniu oidhre dílis amharclann Shráid Chró a tógadh ag 'the Hall, commonly called the Music Hall on the north side of the street called Cecilia Street, near Crow Street', .i. an Halla dá ngairmtear go coitianta Halla an Cheoil ar an taobh thuaidh de Shráid Cecilia (léas, Iúil 1751).

I 1754 cheannaigh Spranger Barry, aisteoir Bleácliathach, an halla ceoil, a bhí tógtha suas go dtí sin le mionshiamsaí, damhsaí, agus a leithéidí. Cheannaigh sé freisin ceithre phíosa maoine eile thart air, agus thóg amharclann cheart. Ós rud é nárbh acmhainn dó íoc as an iomlán, bailíodh síntiúisí agus rinneadh suas an costas uile, níos mó na £22,000.

Chuaigh Barry, aisteoir a bhí thar barr i Shakespeare, i gcomhar le Woodward, aisteoir Sasanach a bhí ar fheabhas i ngeandrámaí, agus d'fhostaigh foireann d'aisteoirí maithe.

Is é ré Mhic Eoin (Owenson) as Tír Amhal- ghaidh, Gaeilgeoir oilte, athair Lady Morgan, an ré

is spéisiúla dúinne, ámh. Cérbh é an fear seo?
Deir *Dictionary of National Biography* Shasana
an méid seo faoi, i dteannta mórán eile:

> OWENSON, ROBERT (1744-1812), actor,
> was born in the Barony of Tirawley, Co.
> Mayo, in 1744. His parents were poor people
> called MacOwen, which their son afterwards
> Englished into Owenson.

Fuair sé a chuid scolaíochta i scoil chois claí agus
fuair post ina mhaor do thiarna talún. Chuir sé
dúil i gcúrsaí drámaíochta, chuir in iúl do Oliver
Goldsmith go mba mhaith leis dul ar an stáitse
agus chuir sé sin in aithne do Gharrick é tuairim
is an bhliain 1771.

B'álainn, dea-chumtha an fear é agus ba
cheannasach i gcosúlacht. Ba mhaith an fonna-
dóir é, mar fuair sé ceachtanna amhránaíochta ó
Worgan agus ó Orne agus cuireadh fáilte roimhe
nuair a chuaigh sé ar an stáitse sna hamharclanna
cúige. De na páirteanna uile a ghlacadh sé, ba é
'Teague' (Tadhg) sa *Committee* agus an 'Meidsior
Ó Flatharta' sa *West Indian* na cinn ar mhó dúil
an phobail iontu, agus bhí eolas maith ag an
tslua air sula ndearna sé a *début* i gCovent Garden,
Londain, 1774. Glacadh mar bhall den 'Literary
Club' é ar mholadh Goldsmith, agus i 1774 phós
sé Jane Mill, iníon fir ghnótha as Shrewsbury.

Ba í Sydney—Lady chlúmhail Morgan ina
dhiaidh sin—an chéad leanbh a rugadh dóibh.
Thosaigh Owenson ag cluichíocht ar stáitse Bhaile

Átha Cliath i Mí Deireadh Fómhair 1776 agus
d'fhan ann roinnt bhlianta. Bhí sé ina pháirt-
dhílseánach ar Amharclann Shráid Chró. Sa
bhliain 1785 throid sé leis an Bhainisteoir, d'imigh
leis as Sráid Chró agus d'oscail amharclann i
Sráid Seamlas an Éisc. Ach d'fhill sé fá cheann
bliana.

Thug sé iarrachtaí le hamharclanna a choinneáil
ar bun sna bailte móra seo—Cill Choinnigh, Doire
agus Sligeach—ach theip orthu sin agus sa bhliain
1798 d'éirigh sé as an Amharclainn. Fuair sé bás
i dteach Sir Arthur Clarke i mBaile Átha Cliath i
ndeireadh Bhealtaine 1812 agus hadhlaiceadh é i
gClárada (Irishtown), a bhí an uair sin taobh
amuigh den chathair.

Deir lucht eolais go raibh sé beagnach chomh
maith le John Henry Johnstone mar aisteoir
grinn agus, freisin, bhí sé feidhmiúil mar chuma-
dóir ceoil, agus deirtear gurb é a chum na foinn
'Rory O More' agus 'My love's the Fairest
Creature.'

Má bhreathnaímid *Annals of the Irish Harpers*
gheibhimid i gcuideachta eile é seachas Garrick
agus Goldsmith. Is iad a chomrádaithe an iarraidh
seo Art Ó Néill, an cláirseoir, an tAthair Art Ó
Laoghaire, Doiminiceach, an tUrramach Mr.
Langley, Ministéir, an Cabhansailéir Leonard
Mac an Fhailghe, Daly (Fear na hAmharclainne
Ríoga agus Daly's Club), Signor Giardini, cuma-
dóir Iodáileach, MacGiolla Iasachta (Lysaght),
'an tImprovisatore Éireannach.'

Tugann Lady Morgan cuntas ar an gcruinniú áirithe seo dúinn agus deir: 'My father sang first in Irish and then in English Carolan's famous song of "O'Rourke's Noble Feast" while the chorus was swelled by the company.' Is cosúil, cé go mba Shasanach an mháthair, gur theagasc Owenson ceolta Gaeilge do Lady Morgan, mar deir sí:

> Many years after this notable event an eminent barrister going the Munster Circuit bivouacked at the house of a friend in Tipperary. He stole into the drawing room, which was full of company, not to interrupt a song which a young girl was singing to her harp. It was the Irish cronan of Eman a Cnuic (*sic*). The air was scarce finished when he sprang forward and seized the harpist in his arms, exclaiming: 'This must be Sydney Owenson—it is her father's voice —none but an Irish voice could have such a curve in it, and she is my godchild.'

Ina chuimhní cinn thagair Art Ó Néill do Pheadar Rua Ó Conaill, file as Contae Longphoirt a raibh baint aige leis na féilte cláirsí i nGranard. Dúirt sé go raibh seirbhíseach ag an gConallach a bhí ábalta ceol i nGaeilge agus i mBéarla—'who sang both English and Irish songs as well as Mr. Owenson the comedian could.'

Ar an leathanach céanna dá leabhar deir Charlotte Milligan Fox dhá rud spéisiúla faoi Owenson: go raibh ardchlú air as sean-amhráin na tíre a rá ('his forte lay in singing old Irish songs in character'); go raibh sé ar an gcéad duine a thug isteach an piano agus a chuir in aithne do phobal na tíre seo é, agus go ndéanadh sé amhránaíocht ar an sean-nós.

Má bhí dúil aige sa phiano *agus* sa tsean-nós, agus aithne aige ar Garrick agus Goldsmith *agus* ar na sean-Ghaeilgeoirí agus dúil aige sa dá chuid, caithfear a rá nár dhuine cúngaigeantach é, agus go raibh sé chomh ilghnéitheach le hÉirinn a linne. Cuimhnítear freisin gur bhunaigh sé Amharclann Chill Choinnigh inar casadh Tomás Ó Móra, file, agus Bessie Dyke, a bhean, ar a chéile don chéad uair.

Óige i Muigheo, ceolta Chearbhalláin, amharclanna na hÉireann agus London, Goldsmith, Garrick, an tAthair Ó Laoghaire, Leonard Mac an Fhailghe, Giardini. . . . Mór an meascán de lucht aitheantais a bhí aige!

Agus anois, críochnaímis an méid seo faoi Owenson le spléachadh ar leabhar Ghilbert, stairí mór na seanchathrach. Ó is rud é go ndéanann Gilbert soiléir é gur chuir Owenson clár dhátheangach ar stáitse Bhaile Átha Cliath sa bhliain 1780, céad agus trí bliana déag roimh bhunú Chonnradh na Gaeilge, agus go dtug daoine iarracht fhíochmhar fhraochdha sin a shéanadh agus a rá nach raibh i gceist ach amhráin Ghall-Ghaelacha le teidil Ghaeilge, ar nós 'The Cruiskeen Lawn,' bheirim focail Ghilbert

(A History of the City of Dublin, iml. ii, lch.203) mar a scríobh sé féin iad i mBéarla, beagnach céad bliain ó shoin:

> His prime character was 'Teague' in *The Committee or the Faithful Irishman* in which . . . he sung an Irish planxty, perfect in language style and action. . . . About 1780, Owenson used to perform the character of Phelim Ó Flanagan in a popular interlude in which were introduced various Italian and Gaelic songs, including the original of Carolan's Recipe for Drinking and the famous 'Ple-raca na Ruarcach' ('O'Rourke's Noble Feast') in Irish and English.

Sílim go bhfuil cruthú sa méid seo, dá maireadh Mac Eoin i ré nó i stát a raibh meas ar an nGaeilge ann, go mba mhór le rá é i gcúrsaí amharclainne a thíre.

20.

CUMANN NA GAEILGE

NUAIR A BHÍ na Péindlíthe síothlaithe nach mór, gan le theacht ach an Fhuascailt deiridh (1829) maidir le ceart Parlaiminte agus Bardais, bhí, faríor, an teanga imithe chomh fada agus go raibh sí ag teacht i gceist mar abhar scoláireachta sa chathair, cé gur cosúil go raibh sí ag níos mó ná leath na hÉireann fós, faoin dtuaith. Is creathnaitheach an difríocht é idir an aigne a bhí ag muintir Neachtain i dtús na haoise agus Mac an tSaoir níos deireannaí san 18ú aois, agus aigne lucht an 'Gaelic Society' i dtús an 19ú céad. Mar sin féin, ní mór iad a ríomh sa stair, daoine a shíl go raibh deireadh le réim na nGael go deo agus, in ionad cloí le Galldachas mar bhí cách a dhéanamh, a thug iarracht an tseanlitríocht agus an tseanteanga a chur i dtaisce go hómósach uaigneach as bealach an tsaoil i measc na leabhar agus na seod ársaíochta.

Is iad seo na daoine a bhí páirteach sa Chumann úd a thagadh le chéile i gCúirt Saul—is é sin, láimh le Cill Chríost: Theophilus Ó Flannagáin, Gaeilgeoir agus togha scoláire as Contae an Chláir; Halliday, mac poiticéara as Baile Átha Cliath; an tAthair Donnchadh Táth as an Mhainistir Mhór i gContae Lughbhaidh; Neilson, an tUltach clúmhail a scríobh gramadach na teangan (1808); Eadbhard Ó Raghallaigh as Cros an Araldaigh, údar *Irish Writers*, foclóirí agus saothar eile, a bhí gan Gaeilge ina óige agus a chuir spéis sa teanga toisc gur tharla láimhscríbhinní Gaeilge ina líon, agus gur theastaigh uaidh an teanga a bhí iontu a thuiscint.

Daoine eile a shaothraigh an léann i dteannta na ndaoine sin: Pól Ó Briain, sagart, as Bréachmhaigh in aice Muigh nEalta i gContae na Midhe, údar *A Practical Grammar of the Irish Language*

(1809); Pádraig Ó Loingsigh, údar *For-oideas Ghnáith-Ghaoighilge na hEireann* (1815); Tadhg Ó Conalláin. Bhí Tadhg ar dhream Gaeilgeoirí a d'iompaigh ón gcreideamh Caitliceach sa gcéad leath den 19ú aois, rud a rinne dochar as cuimse don teanga, mar chuir siad ainm iompaitheora ar dhaoine a bhí ag plé le léamh nó scríobh na Gaeilge sa leath sin den aois a bhí chomh criticiúil sin i gcás na teanga, agus níl aon amhras ná go mba scoláire maith Gaeilge é. Baineann iompó na nGaeilgeoirí seo le saothar na gCumann Bíobla a bhí ag iarraidh Gaeilge agus Caitlicíocht le chéile a scrios trí mheán na Gaeilge. Is cruaidh an focal é sin, ach tá dearbhú duine den Chumann Protastúnach—Henry Joseph Monck Mason— againn ar an droch-rún. Ag freagairt daoine a bhí ag diúltú cabhrú leis an mBíobla Protastúnach i nGaeilge, ar eagla go mbeidís ag cabhrú leis an nGaeilge, dúirt sé (1) gurb é a bpolasaí gan aon leabhar Gaeilge a scaipeadh ach Bíobla Bedell, a raibh an Ghaeilge inti deacair agus seanda, *rud a thiomáinfeadh na léitheoirí chun an leagain Bhéarla ag iarraidh mínithe;* (2) gur sheachnaíodar paimfléidí Gaeilge a scaipeadh ar eagla go scaip-feadh na Caitlicigh freagraí Gaeilge, rud trína dtiocfadh Athbheochaint; (3) gurb é an rud a bhí faighte amach acu go dtosnaíodh na Caitlicigh ar chúl a thabhairt don teanga i gceantar a raibh na ministéirí ag tosnú ar í d'úsáid. B'é Seán MacConmara, 'No. 9 Anderson's Court, Greek St., Dublin' Rúnaí an *Gaelic Society.*

Ní Béarla ar fad a chleachtadar ina ngnó, mar léigh an tAthair Pól Ó Briain thuas, a bhí ina Ollamh Gaeilge i Magh Nuat, agus a shaothraigh an teanga go lá a bháis (1820), dileagra Gaeilge a maireann a théacs go fóill don Chumann, beagnach 90 bliain roimh Chonnradh na Gaeilge.

21.

MAIRFIMID

CHONAICEAMAR sna leathanaigh roimhe seo beagán de shaol na príomhchathrach ar feadh na n-aoiseann. I rith na gcéadta bliain ba bhocht an chaoi a bhí ar an gcine dhúchais i bpríomhchathair an oileáin agus i ngach cathair eile. Le tuilleadh agus míle bliain, eachtrannaigh a bhí i gceannas ár gcuid cathrach. Ó ré na Lochlannach, a thosnaigh 795 A.D., go dtí 1919, nuair a bunaíodh Dáil Éireann agus an Ghaeilge in uachtar inti, ní fhéadfadh cathair ghaelach a bheith ann. Roimh 795 ní raibh cathracha móra in Éirinn go bhfios dúinn, agus ó 1919 i leith ní dhearnamar oiread agus sráidbhaile nua iascaigh arb í an Ghaeilge a theanga, cé gur éirigh leis na Pólannaigh i ngearr-ré saoirse (1919-1939) cathair nua calafoirt, Gdynia, a chruthú as náid, agus í fíor-Phólannach.

Stopann an leabhar seo, nach mór, sa ré a

raibh Baile Átha Cliath ag éirí 'glórmhar' dar le Béarlóirí. Ré na dtithe móra Seoirseacha, a raibh boicíní 'the second city of the Empire' agus a gcuid ban ag cleachtadh *minuets*, ag fáiltiú roimh Handel agus a leithéid sna seomraí meánacha móra, an fhaid a bhí na seomraí beaga suaracha ar uachtar, an t-íoslach agus an staighre cúil ag oidhrí dlisteanacha an oileáin, na seirbhísigh. B'as an nGaeltacht i gcónaí a lán de na searbhóntaí seo, nuair a bhí contaethe chomh gar do bhaile leis an Midhe, an Cábhán, agus Lughbhadh ina nGaeltacht. (Bhí 'pócaí' Gaeilge níos comhgaraí ná sin féin i nóchaidí an 18ú céid.)

Ó 1776 go dtí chomh deireannach le 1847 féin, bhí paidir fhada i nGaeilge agus i mBéarla— 'An Teagasc' nó 'The Exhortation' sa *Rituale*, agus ar mhaithe leis na Gaeilgeoirí sna seomraí beaga, léití an leagan Gaeilge ar an gcéad Aifreann gach Domhnach. An Dr. Mac an tSaoir a thosaigh an nós seo, agus is cosúil nár bhris an Dr. Ó Troithigh é. (Féach an aiste le Brian Mac Giolla Phádraig ar *Feasta*, Bealtaine 1957, agus na haistí le Thomas Wall agus leis an Athair Hawkes i *Reportorium Novum*, i, 1955).

Cé an seasamh a bhí ag na Gaeilgeoirí seo sa chathair? 'A fragment of the Irish nation astray in a fragment of the English nation' tuairim Dhomhnaill Uí Chorcora. ('The Fortunes of the Irish Language,' 1954.)

Má chuimhnímid nach raibh sa ghalldachas glórmhar a thug tithe áille agus ealaíon deas gan

dúchas don chathair ach rud a shearg go hua-
fásach tapaidh i ndiaidh na hAontachta, agus gur
ar thuarastal suarach a thóg fir oibre na ' '⁻⁺⁻⁻cha
áille, is maith an míniú ar luath-thitim   ·'
sin nach raibh ann ach giota de náisiúi⁻ ⁻nasau
ar seachrán in Éirinn, ag brú agus ag tachtadh a ⁻
méid den náisiún Gaelach a bhí ar fán i seomraí
beaga, i séipéil pheannaideacha, i dtábhairní ar
nós an 'Wheat Sheaf,' i scoileanna rúnda Pápúla
i nGaileirí Amharclann Shráid Cró. Sinne, sna
gluaiseachtaí Gaeilge, a n-oidhrí dlisteanacha, an
cruthú gur chuir Ó Neachtain agus a 'chróing
cliar' síol dúchasach atá fós torthúil. Mhaireadar,
mairimid, mairfimid!

Nihil Obstat: Fergus O hUiginn
Censor Theol. Deput.

Imprimi Potest: + Johannes Carolus
Archiep. Dublinen.
Hiberniae Primas

Dublini, die 14a Octobris, anno 1957

*Arna chur i gcló ag an 'Cinnire
Laighneach Teo.', Nás na Rí, do
F.Á.S. 28 Sráid Séartha Uacht.,
Baile Átha Cliath.*